W9-AUG-187

Рэнди Цукерберг

Рэнди Цукерберг

Точка сложности

Как я работала в **facebook**

АСТ
Москва

УДК 821.111(73)
ББК 84 (7 Сое)
Ц85

Randi Zuckerberg
DOT COMPLICATED:
Untangling Our Wired Lives

Печатается с разрешения автора и литературных агентств
William Morris Endeavor Entertainment, LLC и Andrew Nurnberg

Цукерберг, Рэнди

Ц85 Точка сложности. Как я работала в Facebook / Рэнди Цукерберг; пер. с англ. Ю. Васильевой. — Москва: АСТ, 2015. — 352 с.

ISBN 978-5-17-088436-0

Рэнди Цукерберг, сестра легендарного создателя самой популярной социальной сети в мире, рассказывает о том, «как все начиналось», о своей работе в компании Facebook, о личном опыте в соцсетях, и размышляет о нормах поведения в виртуальной среде.

«Легко спрятаться за экраном монитора, за текстовым сообщением, фотографией или электронным письмом. Гораздо тяжелее выйти на свет и начать жить собственной жизнью, быть честным с самим собой и остальными. Компьютерные технологии показали нам новый мир. Однако, чтобы сделать этот мир прекрасным и гостеприимным для нас и наших детей, придется потрудиться.»

УДК 821.111(73)
ББК 84 (7 Сое)

ISBN 978-5-17-088436-0

Посвящается моему потрясающему мужу Бренту Творецки, который настолько организован и собран, что всегда пребывает в точке спокойствия и никогда — в точке сложности. Чудесный отец, любимый муж и лучший в мире напарник, спасибо тебе!

Содержание

Введение

Ты живешь лишь один раз. И при этом каждый день проводишь в Интернете по 15 часов, пытаясь заслужить одобрение незнакомцев.

@ChrisRockOz

Последние восемь лет я, так сказать, «из первого ряда» наблюдала за тем, как развиваются технологии, мобильные устройства и другие средства коммуникации. Они прогрессировали, усложнялись и в конце концов стали практически неотъемлемой частью нашей жизни. С их помощью мы общаемся с друзьями и выбираем президента, делаем карьеру и ведем жаркие споры, ищем любовь и растим детей.

Я помню мир, в котором общение онлайн воспринималось как нечто удивительно новое, необъяснимое и поразительное, а уж доступная мобильная связь и вовсе казалась настоящей магией... Этот мир изменился. Теперь мы всегда онлайн, всегда в доступе и нам настолько уютно общаться друг с другом, сидя у монитора, что мы частенько забываем, как здорово бывает оторвать взгляд от компьютера и наслаждаться миром вокруг.

На страницах этой книги я делюсь собственным жизненным опытом, рассказываю о том, чему была свидетелем. А именно — как средства связи трансформировали мир, в котором мы живем.

Под кончиками наших пальцев могущественные технологии. И все же нельзя забывать, что стремление быть онлайн не имеет никакого отношения к обычной жизни и взаимоотношениям с реальными людьми. Остается искать баланс между сетевым общением, в котором участвуют миллионы людей по всему миру, и нашими родными и близкими. Теми, в чьей жизни мы присутствуем здесь и сейчас.

Это сложно.

За последние несколько лет я потратила кучу времени, обдумывая концепцию «технологического баланса жизни». Что это вообще значит? Как его найти? Возможен ли подобный баланс в эру, когда каждому из нас можно позвонить в любое время дня и ночи?

Но прежде чем я нырну в размышления о технологическом балансе жизни, особенностях общения с друзьями и семьей, о взаимоотношениях, карьере и различных сообществах, мне бы хотелось вернуться на несколько лет назад — в то время, когда мою жизнь можно было назвать какой угодно, но только не сбалансированной. Тогда я без устали работала над одним из инструментов, которые сегодня вызывают у нас столько радости и тревог.

Возможно, вы выбрали эту книгу, потому что слышали обо мне из средств массовой информации. А может, вы обожаете «Фейсбук» и активно пользуетесь им с самого дня его основания. Вполне вероятно, вы даже не знаете, кто я такая, но считаете, что мой брат — классный парень. Или вообще понятия не имеете, почему читаете сейчас эту книгу. Тем не менее вы здесь. Каким бы образом это сочинение ни попало к вам в руки, спасибо, что рискнули присоединиться ко мне в увлекательном путешествии. Я ужасно волнуюсь и надеюсь, что эта книга — где есть место и биографическим моментам, и размышлениям о будущем, и путеводителю по поискам технологического баланса жизни, — начнет диалог о разумном, вдумчивом и серьезном использовании технологий. Диалог о подходе, который мог бы улучшить жизнь каждого из нас.

Глава 1

первые и последние шаги

Бывают в жизни моменты, которые меняют все. Иногда они случаются абсолютно спонтанно. Но порой они приближаются так медленно, постепенно и ожидаемо, что в грядущих изменениях не остается ничего удивительного.

А еще подобные моменты случаются, когда открываешь рот и непроизвольно выплескиваешь все, что у тебя на сердце. Так 20 апреля 2011 года изменилась моя жизнь.

Сидя утром за рабочим столом, я даже не предполагала, что этот день станет одним из самых значимых в моей жизни и во многом предопределит мою дальнейшую карьеру, мечты и взгляды на общество и технологии. И все-таки я уже понимала, что день обещал быть уникальным. Ну, или, по крайней мере, очень странным.

Я остановилась возле стола, чтобы немного передохнуть. Чувство усталости в самом начале дня было для меня нехарактерно. Вообще-то я «жаворонок» — одна из тех жутких бодрых личностей, которые всегда готовы куда-то бежать, даже если еще не выпили утренний кофе. Однако в тот момент шла тридцать пятая неделя беременности и ребенок, казалось, весил все пятьдесят фунтов[1]. С ростом в пять футов и два дюйма[2] я походила на живот на ножках, и ходьба не доставляла мне никакого удовольствия.

К тому же я была на работе уже около восьмидесяти часов, и все только начиналось. Мой стол был завален грудами записок и планов и упаковками из-под еды. Я плюхнулась на стул и попыталась собраться с мыслями.

Внезапно груда мусора на столе начала вибрировать. Я судорожно разгребла бумажки, извлекая на свет телефон, пробежалась пальцами по клавиатуре и поднесла трубку к уху.

— Рэнди! — с энтузиазмом завопил голос. — Это Рон!

Это был Рон Конуэй — легендарный бизнесмен Кремниевой долины[3], а также мой добрый друг, которого я была рада слышать в любое время.

---

[1] ~ 22,68 кг. *Здесь и далее прим. переводчика.*
[2] ~ 157 см.
[3] Кремниевая долина (также известна как «Силиконовая долина») — юго-западная часть агломерации Сан-Франциско в штате Калифорния (США), отличающаяся большой плотностью высокотехнологичных компаний, связанных с разработкой и производством компьютеров и их составляющих, а также программного обеспечения, устройств мобильной связи и т. п.

Ну, почти в любое. В тот момент я вяло опустилась в кресло. Было еще слишком рано, к тому же я чересчур устала для столь бурных приветствий.

— Привет, Рон, — сказала я так бодро, как только могла, надеясь, что мой голос звучит не слишком вяло. — Что я могу для тебя сделать?

Рон на мгновение задумался. Затем он продолжил, такой же собранный и серьезный, как всегда:

— Слушай, Рэнди. Ты нужна мне, чтобы свести Эм Си Хаммера[1] с президентом.

Пару секунд мой мозг пытался переварить абсурдность услышанного. А потом губы расползлись в улыбке. Мне даже показалось, что груз забот стал не таким тяжелым.

Президентский кортеж двинулся в сторону «Фейсбука». Это был день, которого я давно ждала, высшая точка моей карьеры.

Звонок из Белого дома прозвучал за две недели до этого.

Работая в «Фейсбуке», я часто разговаривала с людьми, которые просили о встрече, посылали ролики на одобрение и выискивали другие благовидные предлоги для контакта. В большинстве своем их предложения нам не подходили, и я вынуждена была произносить вежливые отказы по нескольку десятков раз в день.

---

[1] Эм Си Хаммер (наст. имя — Стэнли Кёрк Бёрел) — в 1980-х и 1990-х — американский рэпер, позже — проповедник. Ныне — телевизионный ведущий.

А потом, как гром среди ясного неба, прозвучал звонок из пресс-службы Белого дома. Они уже были знакомы с некоторыми выпусками моей передачи «Жизнь Фейсбука» и теперь хотели узнать, не заинтересован ли «Фейсбук» в том, чтобы провести встречу с президентом Обамой через две недели.

Из Белого дома звонят не каждый день. И хотя я понимала, что нам придется свернуть горы, чтобы все получилось, а в нашем распоряжении лишь пустой склад да пара камер, я послушалась веления своего сердца. И согласилась без колебаний.

Но президент хотел вести беседу не только с нами, он собирался также отвечать на вопросы пользователей веб-сайта в контексте передачи «Жизнь Фейсбука». Ему хотелось, чтобы администрация бурлила, чтобы люди могли заходить на «Фейсбук», смотреть трансляцию и задавать вопросы. Это был не просто пиар-ход. Встреча с президентом должна была стать частью общенационального тура в поддержку новой экономической политики — стратегии избавления от дефицита и увеличения числа инвестиций. Для президента это был удачный политический шаг, поскольку в тот момент было неясно, удастся ли ему одолеть республиканцев в Конгрессе.

Для «Фейсбука» же это был знаковый момент. Президент мог использовать любые каналы связи с общественностью. Однако он выбрал не радио или телевидение, и даже не другие веб-сайты — в качестве способа общения с нацией он выбрал «Фейсбук».

Власть, драматизм ситуации и новейшие технологии создали для «Фейсбука» легендарную маркетинговую возможность. Я еще не успела продумать все детали грядущего события, а мой мозг уже лихорадочно анализировал дальнейшие ходы и необходимые действия для того, чтобы через две недели «Фейсбук» смог транслировать встречу с президентом.

Мы работали без остановки в течение тринадцати дней. Эти дни перетекали друг в друга с сумасшедшей, возбуждающей, пугающей быстротой. Мы с моей командой жили от одного селекторного совещания[1] до другого, от встречи до встречи, от эспрессо до банки «Ред Булла» (ну а в моем «беременном» случае — от кофе без кофеина до травяного чая). Нам пришлось утрясать с Белым домом вопросы снабжения и безопасности — и не дай бог что-нибудь забыть! Люди должны были знать, когда и как они смогут включиться в обсуждение, — и мы изрядно поработали над рекламной кампанией. Потом появились и другие проблемы: кто будет следить за ходом мероприятия, как систематизировать вопросы и должны ли мы вообще вмешиваться в ход диалога.

У нас был модератор — мой брат, Марк Цукерберг, основатель и исполнительный директор «Фейсбука». Но, кроме него, в тот момент, когда я день за

---

[1] Селекторное совещание — совещание по телефону.

днем висела на телефоне, у нас не было никого. У нас даже не было подходящего помещения. Нашлось лишь одно место, которое, как мы полагали, могло бы вместить в себя членов мэрии, — здоровенный подземный склад под нашим офисом. Но там не было ни подходящей мебели, ни технического оснащения, чтобы принимать администрацию президента.

Нужно было превратить склад в полноценную функциональную студию и аудиторию. Первым делом предстояло найти рабочих. Нам необходима была команда операторов, которые могли бы обслуживать камеры. Если точнее, сами камеры нам тоже были нужны, а также и освещение, и аудиосистемы. И еще требовалось невероятно быстрое и бесперебойное подключение к Интернету, которое могло бы запустить послание президента в мир.

К четырнадцатому дню я проработала без остановки около восьмидесяти часов с небольшими перерывами на короткий сон и перекусы. Кресла были установлены, охранники проводили последнюю проверку, камеры уже протестировали, но теперь тестировали еще раз. Я наконец потащилась домой, чтобы привести себя в порядок к прибытию президента. И тут оказалось, что у меня нет подходящего брючного костюма. Все происходило в Кремниевой долине, и чаще всего я выступала перед камерой в джинсах и «парадной» футболке с выбитым стразиками логотипом «Фейсбука» на груди.

А затем вновь возвращалась к работе. Мой коллега Эндрю Нойес, который очень помог нам тогда, пришел ко мне прямо домой (всего в нескольких кварталах от офиса «Фейсбука»), чтобы в последний раз пробежаться по плану на завтрашний день и обсудить все детали. Я обрадовалась приходу Эндрю. Хотя в последние дни я практически не спала, внутри меня бурлила энергия. Слишком многое было поставлено на карту.

По дороге в офис мы увидели кучу спутниковых фургонов с устремленными в небо антеннами. Казалось, они готовы были в любой момент начать трансляцию сигнала на любые расстояния. Винтовки снайперов на крыше были практически незаметны. Все вокруг было перекрыто, сновали патрульные машины и огромное количество людей, отслеживавших незаконное вещание. Над головой с жутким грохотом кружил полицейский вертолет.

Я остановилась возле собственного стола, делая вид, что взволнованна, но полна энергии. И в тот момент, когда я отвечала на последние вопросы, глазея в окно на царящий снаружи хаос, прозвучал голос Рона:

— Слушай, Рэнди. Ты нужна мне, чтобы свести Эм Си Хаммера с президентом.

Я улыбнулась в ответ:

— Одну минутку, Рон.

Сорвав с пояса рацию, я позвонила коллегам из пропускного отдела:

— Мэлори? Морин? Прием. Не могли бы мы раздобыть местечко для Эм Си Хаммера?

Короткая пауза — и ответ:

— Вас поняли. Есть место для Эм Си Хаммера.

Я вернулась к телефону:

— Заметано, Рон! Хаммер в списке.

А потом я ринулась разрешать тысячи возникающих в последнюю минуту проблем. Вот где была настоящая мясорубка.

Спустя несколько часов я сидела на своем месте среди остальной публики. Все вели себя очень тихо и сдержанно. Ждали прибытия президента. Краем глаза я заметила Эм Си Хаммера, который фотографировал происходящее на мобильный телефон.

Меня била нервная дрожь. Настало время оценивать проделанную работу. Ожидания были чудовищно высоки. Если все пройдет по плану, вкус победы мог оказаться удивительно сладким. Если же нас ждала неудача… Об этом не хотелось даже думать. Слишком многое было поставлено на карту.

— Итак, когда ожидаете пополнения? — прошептал чей-то голос.

Позади меня сидела сияющая Нэнси Пелоси.

— Э-э, в следующем месяце.

Нэнси пустилась в воспоминания о своих внуках. Мне нравится Нэнси, к тому же недавно я уже интервьюировала ее в формате «лайв-стрим», что было своеобразным «разогревом» к появлению президента. Тем не менее я была ужасно рассеянна и в итоге потеряла нить разговора. Хотелось поскорее начать. Ожидание убивало.

А потом прибыл президент. Люди встали и начали аплодировать. Новаторский ход — впервые президент обращался к сообществу Кремниевой долины без всякого гламура, при помощи новейших технических средств — не остался незамеченным.

Марк поприветствовал президента, и они уселись на высокие стулья друг напротив друга. В зале воцарилась тишина.

Начал президент.

— Что ж, во-первых, огромное спасибо «Фейсбуку» за трансляцию этого события, — сказал он. — Меня зовут Барак Обама, и я тот парень, который заставил Марка нарядиться в пиджак и галстук.

Это было подобно взрыву. Однако я всеми силами старалась держать себя в руках и не поддаваться общему настроению. Несмотря на все препятствия, мы сделали это и все прошло великолепно. Путь, который был проделан, поражал воображение, однако момент стоил того.

«Фейсбук» родился в комнате студенческого общежития. Вопреки всему он быстро вырос и стал известен. Дружная компания студентов-мечтателей постепенно пополнялась опытными профессионалами, одержимыми идеей свободного общения миллионов людей, которое дало бы всем возможность озвучивать собственное мнение, изменить форму взаимоотношений отдельных личностей с организациями и помочь каждому быть ближе с теми, кто для него важен. Каждое утро мы просыпались и делали мир более коммуникабельным. Мы жили и дышали этой миссией каждый божий день.

И вот теперь — просто невероятно — президент Соединенных Штатов выступал на «Фейсбуке», озвучивая свои планы. Для меня это было потрясающим карьерным достижением и в то же время чем-то глубоко личным. Изменения не заставили себя ждать.

Марк держался спокойно и собранно. Президент демонстрировал напор, харизму и энергию. Накануне мы яростно спорили о том, сможет ли он покорить публику. Впечатления от первого срока избрания были невысоки, и большинство активных сторонников президента пребывали в некоторой апатии. На встрече все сомнения мгновенно рассеялись.

Обама не просто покорил публику. Он одержал сокрушительную победу и расширил круг своих почитателей. Президент вел диалог *со всеми и каждым по «Фейсбуку»*. Даже когда он шутил с Марком и отвечал на вопросы корреспондентов, глаза его периодически обращались к расставленным по залу камерам. Ведь именно там, по ту сторону объективов, велись настоящие дебаты и решалась судьба новой экономической стратегии. В гостиных, офисах, студенческих общежитиях и кофейнях по всей стране люди выходили в Сеть, чтобы поучаствовать в этой встрече. И в этом диалоге президент работал с утроенной энергией.

— Знаю, некоторые из вас мысленно возвращаются к 2008 году, вы разочарованы... Но вспомните, нам ведь и раньше не раз приходилось преодолевать трудности. И всегда мы выходили победителями. Всегда оказывались на высоте. Вместе мы сможем решить любые проблемы. Но один я бессилен.

Публика разразилась аплодисментами. И я вместе с ней.

Тем не менее мои аплодисменты скорее выражали единодушие, нежели восхищение самим президентом. Я аплодировала камерам — моим камерам, — которые давали возможность людям за стенами этого зала присутствовать рядом с нами. Я аплодировала моим замечательным коллегам, которые превратили пыльный подвал в достойную президента аудиторию. Я аплодировала дерзкой отваге, с которой мы ринулись в бой: приняли предложение, не имея ничего за душой, а затем претворили возможность в жизнь с помощью тяжелого труда и скоростной импровизации.

Позже, когда все закончилось, я обнаружила, что это был самый крупный «лайв-стрим» «Фейсбука» за все время его существования. Посещаемость зашкаливала.

Усталость, которую я ощущала все утро, растаяла без следа. Воодушевленная, я была ошеломлена успехом. «Фейсбук» совершил нечто грандиозное с технологической точки зрения. Конечно, я всегда считала, что проектировщики и разработчики «Фейсбука» изменят мир. Но случившееся было реальным, вещественным фактом. Мы использовали возможности «Фейсбука», чтобы вовлечь в политическую дискуссию миллионы людей одновременно. Невиданный доселе демократический эксперимент.

В тот день в офисе «Фейсбука» не обсуждались проблемные вопросы Кремниевой долины, никто не отпускал обычных профессиональных шуточек, не спорил по поводу дальнейшего развития технологий, как бы важно все это ни было. Люди беседовали на глобальные темы. Внутри и вне стен «Фейсбука» мы претворяли в жизнь мгновение, которое не могло не тронуть людей.

К тому моменту я работала без перерыва уже почти девяносто часов. Студию практически разобрали, и моя команда наслаждалась заслуженным отдыхом. Настало время отправляться домой.

Я медленно шла по улицам Пало-Альто. Брать машину оказалось бессмысленно: кто-то перекрыл все улицы.

До меня начало медленно доходить. «Так. Стоп. Ведь это была я».

Меня охватило смущение, и, по мере того как я шла дальше, нервное возбуждение только росло. Сегодняшняя встреча стала внезапной, поражающей воображение наградой за две недели безостановочной работы. Однако вспышка счастья была омрачена неясным предчувствием вызова, который бросал невероятный успех. К тому моменту, как я дошла до дома, в голове крутилось множество мыслей. Я прошла по дорожке и поднялась по ступенькам на крыльцо.

— Брент! — позвала я мужа, толкнув дверь.

На кухне послышался какой-то шорох. Из-за угла высунулась знакомая мохнатая морда.

— Бестия! — крикнула я.

Это была собака Марка.

Затем появилось еще одно знакомое лицо. Лицо Марка. Галстук и пиджак, так нехарактерные для моего брата, исчезли. Теперь он снова был одет в фирменную футболку и джинсы.

— Эй, — сказал Марк. — Я гулял с Бестией и решил заскочить сюда.

Марк жил в нескольких кварталах от моего дома и вечерами частенько бродил с собакой по окрестностям.

Ребенок резко пнул меня в живот, и от неожиданности я выронила сумку.

— Хорошая работа, — закончил он. — Отдача просто потрясающая. Это было что-то фантастическое, все теперь только о встрече и говорят. Даже не верится, что тебе удалось проделать все это за две недели.

Вот тогда все и случилось.

— Марк... — медленно начала я. — Это был лучший день «Фейсбука». — Я на мгновение замолчала, пытаясь подобрать слова. А потом меня понесло.

В своей обычной манере я выпалила все, что было у меня на уме. Я рассказала, как вижу будущее программирования. Упомянула о желании поразить воображение миллионов людей невиданным доселе контентом. Все предыдущие дни и ночи работы были лишь подготовкой к этому моменту, и теперь я точно знала, в чем состоит моя миссия. Да, это выходило за пределы моей роли в «Фейсбуке» и даже за пределы всего «Фейсбука» в целом. В то же время эта новая роль могла сделать меня по-настоящему счастливой, и я понимала, что всегда мечтала заниматься чем-то подобным. К достижению такой цели стоило стремиться.

Слова лились из меня нескончаемым потоком, так быстро, что я не успевала их обдумать.

— Я хочу уйти.

Фраза повисла в воздухе. Я замолчала, внезапно ужаснувшись сказанному. Еще никогда я не озвучивала подобных мыслей. Я даже не была уверена в том, что хочу это сказать, до тех пор, пока не услышала собственный голос. И вот теперь я стояла в коридоре и мечтала взять свои слова обратно.

Марк молча уставился на меня. Бестия сделала то же самое. Я нервно хихикнула. Бестия чересчур мохната и мила, чтобы рядом с ней можно было сохранять серьезное выражение лица.

Если Марк и выглядел расстроенным, это длилось не дольше секунды.

— Ты уверена, что хочешь уйти? — спокойно спросил он, словно ожидал чего-то подобного.

Я на мгновение задумалась. Вспомнила о своих коллегах, обо всех чудесных моментах за последние пять с половиной лет, когда «Фейсбук» больше всего напоминал сумасшедшие американские горки. Меня захлестнули эмоции и воспоминания.

Но роковые слова вырвались у меня не без причины. Да и тревога возникла не просто так. Все эти идеи и чувства бродили во мне уже давно.

Я собиралась покинуть «Фейсбук», но страха не было. Уже не первый раз в жизни я выбирала свой собственный путь.

Я родилась в 1982 году в городе Доббс Ферри, что в штате Нью-Йорк. Росла в совершенно нормальной (ну, почти что) семье, которую можно было бы отнести к верхней прослойке среднего класса. Из четырех детей я была старшей, потом шли Марк, Донна и Ариэль, самая младшая из всех. Оба моих родителя работали врачами. Мама Карен была психиатром. Мы с Марком родились, пока она еще училась в медицинском университете, и каким-то образом она умудрилась совместить долгие ночные смены резидентуры с воспитанием двух маленьких крикунов. Отец — Эдвард — вел стоматологическую практику в собственном кабинете, который находился на первом этаже нашего дома. (Как вам такое расстояние от дома до работы?)

Наш тихий пригород располагался в сорока минутах езды к северу от Манхэттена и состоял из разноуровневых домов 1970-х годов постройки.

По тихим, окруженным деревьями улицам сновали минивэны с юными футболистами. Вряд ли можно найти более типичный пригород, чем Доббс Ферри.

Большую часть детства и юности, вплоть до самого колледжа, я вела восхитительно нормальную жизнь. Зимой мы катались на лыжах. Летом нас четверых отправляли в лагерь. Я упрашивала родителей возить нас в «деревянный городок» — комплекс строений, сделанных целиком из дерева, — хотя каждое такое посещение заканчивалось болезненным вытаскиванием заноз. Как-то раз я подхватила ветрянку, и мы переболели всей семьей, включая Ариэль, которой на тот момент было всего шесть месяцев. Я училась в местной Ардслейской средней школе и каждое утро напевала песенку-гимн «Гармоничный путь», пока не перешла в школу Хораса Манна.

Думаю, можно сказать, что мне всегда везло. Я брала уроки игры на фортепияно, и каким-то чудом мне удавалось проводить большую часть этих уроков, распевая песенки, в то время как на фортепияно играл мой учитель. Я бегала кроссы, заставляя родителей ехать рядом на машине, чтобы понимать, какой темп мне нужен для попадания в университетскую команду. Я играла и пела в школьных спектаклях, университетских спектаклях, спектаклях в летнем лагере — то есть во всех постановках, каких только удавалось. В высшей школе круг моих интересов расширился. Я страстно полюбила и начала изучать оперу, вошла в университетскую команду по фехтованию и в конце концов стала ее капитаном. Я прилежно училась, получала высшие баллы и в 1999 году, не имея особых связей или преимуществ, стала первым из членов нашей семьи, кто поступил в университет Лиги плюща. Меня приняли в Гарвард. До настоящего момента я остаюсь единственной из нашей семьи выпускницей университета.

Люди часто спрашивают меня: «Каково было расти рядом с таким братом? Можно ли сказать, что его будущий грандиозный проект начал формироваться еще в детстве?» Я отвечаю коротким и емким словом «нет». Мы были абсолютно обыкновенной счастливой семьей. Кроме того, не стоит сбрасывать со счетов остальных ее членов. Меня не покидает ощущение, что однажды все мы будем работать на нашу младшую сестренку.

Но перенесемся в апрель 2003 года. Я проводила большую часть времени, изучая психологию и занимаясь с любимой акапельной группой. Мои дни в Гарварде подходили к концу.

Мои друзья и одногруппники служили для меня блестящим примером. В те безумные недели весенних каникул на каждом ланче, каждой вечеринке и даже просто на Гарвардской площади не было живого места от счастливых, восторженных ребят — ребят, полных планов. Грандиозных планов. И все высокие ожидания, все эпохальные шаги связывались с громкими именами McKinsey, Goldman

Sachs, JPMorgan и Deloitte. Казалось, все решили направиться прямиком на Уолл-стрит или Кей-стрит, чтобы работать в банковской или консалтинговой сфере. Практически все общение с друзьями сводилось к обсуждению будущих резюме.

Естественно, проблема не обошла стороной и меня.

— Итак, куда ты пойдешь, Рэнди?

Я смущенно улыбнулась:

— Пока не решила. Но склоняюсь к творческой индустрии.

Чаще всего ответом на эти слова служили непонимающие взгляды. Большинство моих однокашников к тому времени уже были пристроены в консалтинговые или инвестиционные компании. Возможно, им просто не приходило в голову, что существуют и другие сферы деятельности, к тому же заслуживающие внимания. Это шокировало!

Как бы то ни было, меня это не пугало. Статистика и количественный анализ не входили в число моих интересов, а перспектива круглыми сутками глазеть в электронные таблицы навевала тоску.

За несколько недель до выпускного я открыла охоту на вакансии в рекламных и маркетинговых компаниях Нью-Йорка. Отец взволнованно рассказал мне, что один из его пациентов работает на рекламное агентство «Дж. Уолтер Томпсон» и собирается рекомендовать меня к собеседованию. Это было просто чудесно. Родители, оба врачи, изо всех сил старались помочь мне на выбранном карьерном пути. Хотя у них не было связей в маркетинге или рекламе, они гордились моим выбором и старались сделать все, что было в их силах.

Несколько недель спустя я вошла в «Дж. Уолтер Томпсон» и уверенно пожала руку интервьюеру, посмотрев ему прямо в глаза.

Тот широко улыбнулся.

— У вас прекрасные рекомендации, — сказал он.

Я просияла. Казалось, работа уже у меня в кармане, но тут взгляд упал на записку, прикрепленную к лежавшему на столе резюме.

— Дочь дантиста. Проведите собеседование, просто из вежливости. Спасибо!

Работу я не получила.

Затем, после нескольких безуспешных попыток, я договорилась о собеседовании на вакансию в статистической группе «Огилви-энд-Мейзер». Да-да, я помню, что говорила по поводу статистики. Однако бездействовать было не в моей натуре, и я решила попытаться открыть в себе до той поры не выявленные способности к математике.

Естественно, собеседование я провалила.

Когда вопросы иссякли, я собралась с силами и направилась к выходу. Однако в этот момент в дверном проеме появился дружелюбного вида мужчина. Это был менеджер по подбору персонала. Он набирал команду для нового направления.

— Что ж, Рэнди, — заявил он. — Ясно, что ваше призвание — вовсе не статистика.

Я решила завершить свое достойное «Оскара» представление и тихо пробормотала, что согласна.

— Однако, — продолжил он, — вы кажетесь креативным человеком. У нас недавно открылась вакансия в сфере творчества и работы с клиентами. Подождите минутку, мне надо сделать несколько звонков.

Затем последовали еще несколько собеседований, и наше сотрудничество было оформлено документально. Я получила работу.

Я надеялась, что у меня будет еще несколько свободных недель, однако, когда из «Огилви» позвонили, предложив приступить к работе немедленно, возражать я не стала. В первый же понедельник после выпускного я пришла в офис.

Вначале я жила с родителями и добираться до работы приходилось на поезде. Это казалось так удивительно и забавно — каждый день возвращаться к родителям и сестре, которая все еще училась в средней школе. Однако долгая дорога «съедала» уйму времени, и я страстно мечтала начать новую жизнь в городе. Через несколько месяцев упорной экономии я решила, что пора переезжать на Манхэттен. Время пришло.

В «Огилви» меня подключили к явно новой команде, которая называлась «Интерактивные и цифровые СМИ». Конечно, я рассчитывала на куда более чарующую атмосферу телекамер и фотовспышек. Позже, оглянувшись назад, я поняла, что на самом деле это место стало для меня настоящей удачей. По мере того как росло влияние Интернета, возрастали и мои возможности. Наша команда увеличивалась. Зато те, кого взяли на более «гламурные» места, до сих пор оставались на побегушках. И все же в тот момент я не осознавала, насколько мне повезло.

Выяснилось, что работа далеко не такая творческая, как хотелось бы. Дни тянулись бесконечно долго. Я снимала копии, заполняла папки, прокалывала дырки скоросшивателем, меняла скрепки и проверяла, грамотно ли составлены служебные записки.

Что еще хуже, у меня была начальница, которая относилась ко мне как к своему «проекту» и частенько делала намеренно жестокие вещи. Однажды она предложила мне подготовить большую презентацию для главы департамента, которая должна была состояться на следующий день в 14:30. Я была счастлива. Наконец-то у меня появился шанс блеснуть! Вскочив посреди ночи, я начала репетировать свое выступление. На следующий день она подошла к моему столу за десять минут до встречи.

— Рэнди, где ты была? Совещание началось двадцать минут назад!

Она сообщила о переносе встречи всем, кроме меня, только для того, чтобы отчитать сотрудника перед главой департамента и упрочить тем самым собственную безупречную репутацию. Большего унижения я в жизни не испытывала. (Кстати, чтобы хорошенько выплакаться, можно спрятаться в ка- бинке туалета. Никто не увидит.)

С другой стороны, я не могу не поблагодарить ее за «Голых ковбоев».

«Голыми ковбоями» назывался дружный коллек- тив новичков, к которому я имела честь принадле- жать. Это название мы взяли в честь длинноволо- сого гитариста, который каждый день курсировал по Таймс-сквер в одних лишь белых трусах и ков- бойских сапогах. Фотографируясь с туристами, он буквально греб деньги лопатой. Это был, несо- мненно, гениальный маркетинговый ход, и наш гитарист стал идейным вдохновителем и предше- ственником всех жутких Губок Бобов и Элмо[1], ко- торые заполонили Таймс-сквер сегодня. Думаю, это делает ему честь.

Задачей «Голых ковбоев», помимо выполнения рутинных обязанностей, было создание актуальной маркетинговой кампании для некоммерческих ви- дов деятельности. Это составляло часть престиж- ной карьерной программы, для которой меня реко- мендовали. Программа эта должна была повысить престиж «Огилви». Мы получали полную свободу и незабываемый опыт, а «Огилви» — наш внеуроч- ный труд. Мы работали по нескольку часов каждый вечер, а также в свое свободное время. Как только изматывающий рабочий день заканчивался, начи- налось время следующего сета, который продол-

---

[1] Элмо — кукла из телесериала «Улица Сезам». Пушистый красный монстр с большими глазами и оранжевым носом.

жался до десяти-одиннадцати часов. А после того как нам дали задание разработать рекламную кампанию «Олимпиады для инвалидов», мы стали работать еще дольше и заканчивали не раньше часа ночи. И все же работа была увлекательной, я чувствовала себя частью команды, и это было чудесно. Все эти вечерние задержки и усердный совместный труд привели к тому, что мы стали лучшими друзьями.

Но были и другие друзья. Я окунулась в городскую жизнь с головой. Я рискнула залезть на «Крейгслист»[1] и нашла свободную комнату в Адской кухне[2]. Комната находилась в четырехкомнатных «модернизированных» апартаментах. В реальности это означало, что мне отводилась часть гостиной, отделенная занавеской. Таким образом, в реальности «комната» оказалась тесным закоулком. Зато я полюбила соседей и у нас сложилась веселая компания. Теперь рядом со мной были те, с кем можно было весело провести время. И мы отрывались по полной.

В те времена я начала встречаться с одним классным парнем (а по совместительству моим однокашником по Гарварду), и мы выпили во внутреннем дворике «Огилви-энд-Мейзер» бесчисленное коли-

---

[1] «Крейгслист» — популярный в США сайт электронных объявлений.

[2] Адская кухня — район Манхэттена, известный также как Клинтон. Свое название получил из-за высокого уровня преступности.

чество «маргарит». Тогда я еще не знала, что выйду за него замуж. Парня звали Брент Творецки.

Шел 2003 год, и мне был двадцать один год. Город вибрировал от жары. Я жила от зарплаты до зарплаты. О том, чтобы откладывать, не шло и речи. И все же я была молода, окружена друзьями, покоряла Нью-Йорк и была счастлива.

Я знала, что Марк начал работать над новым проектом — над «Фейсбуком». Точнее, над тем, что позже стало называться «Фейсбук». Проект успешно зарекомендовал себя в Гарварде и уже прокладывал свой путь в несколько других университетов.

Иногда мне хотелось спросить коллег, слышали ли они о «Фейсбуке». Мои ровесники знали о нем почти поголовно, но те, кому перевалило за двадцать четыре, понятия не имели, что это такое.

Марк продолжал вовсю трудиться над сайтом и только-только вылетел в Калифорнию, чтобы найти надежный источник финансирования для своего предприятия. Тогда-то он и спросил, не хочу ли я поработать с ним.

Несмотря на опасения по поводу корпоративного будущего, я вежливо отказалась. В тот момент я еще верила в Нью-Йорк. Но время шло, и я стала все чаще задумываться о планах на будущее.

Такой была моя жизнь в Нью-Йорке. Казалось, все радости, ожидания, печали и трудности — это мой собственный, уникальный, ни на что не похожий опыт. Но это, конечно, было не так. Через подобное проходили многие молодые профессионалы, пытавшиеся пробиться в большом городе. Мы были новичками в Нью-Йорке, хотя и выросли совсем рядом. Десятки и тысячи недавних выпускников, интерны, будущие артисты. Так происходит каждый год. Я жила жизнью, которая не была ни уникальной, ни особенной. И это очень характерно для Нью-Йорка. Нет ничего удивительного в том, что все новички мечтают сделать нечто выдающееся, — так было и со мной.

У меня не было полезных связей или денег. Не было работы, о которой можно мечтать, чудесного жилья или головокружительных карьерных перспектив. Но у меня все еще была мечта, пусть даже сырая и слабо продуманная.

Я знала, что хочу сделать в жизни нечто значительное. Нечто такое, что потрясет мир — затронет жизни многих людей. Мне хотелось реализовать свой потенциал полностью. Продолжая трудиться на обыкновенной, ничем не примечательной работе в «Огилви», я по-прежнему хотела заниматься чем-то творческим, связанным с искусством или развлечениями.

Несколько месяцев спустя я ушла из «Огилви». Но к «Фейсбуку» не присоединилась. Впереди лежал мой собственный путь.

И я получила работу в «Форбс». Мне предложили стать продюсером самого настоящего телевизионного шоу под названием «Форбс он Фокс». Суть его заключалась в том, что четверо взрослых мужиков битый час орали друг на друга, оспаривая вопросы экономики. Передача выходила в эфир в пять утра каждую субботу. Сидя в контрольной будке, я не могла избавиться от опасения, что у кого-нибудь из них рано или поздно случится сердечный приступ, и изо всех сил старалась не обращать внимания на вопли. Перспектива поработать со Стивом Форбсом показалась тогда невероятно привлекательной, и в итоге я получила незабываемый опыт.

Могла ли я тогда знать, что это недолгое телевизионное приключение откроет передо мной множество дверей и значительно приблизит к исполнению мою заветную мечту?

После первого выпуска шоу Стив Форбс пригласил меня на завтрак. Я старалась сдержать свой восторг, когда мы вышли из студии в Мидтауне. *Господи, где мог завтракать мультимиллионер Стив Форбс?* Когда это наконец прояснилось, я больше не скрывала своего восхищения. Он повел меня в ближайший ресторан, а точнее — в «Вендис», находившийся в вестибюле станции подземки на Сорок седьмой улице. Сразу стало понятно, что он был завсегдатаем.

— Заказывай, что нравится! — пророкотал он. — Можешь даже двойную порцию.

Целый час мы оживленно обсуждали «Янкис», и все это время в голове у меня билась мысль о том, что этот успешный, состоявшийся бизнесмен на удивление прост и непретенциозен. И это было действительно классно.

Прошло несколько месяцев. Брат снова попытался переманить меня в «Фейсбук», который теперь базировался в Менло-Парке.

«Интересно, — подумала я. — "Фейсбук" уже не тот, что раньше. Марк делает успехи».

— Почему бы тебе просто не зайти в гости и не посмотреть, чем мы тут занимаемся? — спросил он.

Я на мгновение задумалась.

— Может, и зайду. Только проверю, есть ли дешевые билеты.

Марк решительно ответил:

— Билет я тебе достану. Просто приезжай.

Так я и сделала.

Первые дни в Калифорнии

Спустя несколько дней после звонка Марка я вылетела в Сан-Франциско на уик-энд. Брат, как и обещал, позаботился о билете, зарезервировав мне место на вечерний рейс «Джетблю Эйрвейз». В зоне прибытия аэропорта меня ожидал личный водитель, в руках которого была табличка с моим именем. Вскоре черный седан уже нес меня по улицам Менло-Парка. Ничего подобного я не испытывала никогда в жизни. Поездка с личным водителем казалась чемто удивительно новым и захватывающим.

Спустя полчаса я оказалась на темной безлюдной улице в тысячах миль от своих родных пенатов прямо перед входом в симпатичный пригородный домик, который совершенно не походил на тайную базу будущей технологической империи.

Пройдя по дорожке, я постучала в дверь.

Марк моментально открыл ее.

— Эй! Ты все-таки приехала! Пошли, познакомлю с ребятами.

Мы прошли в следующую комнату. Там и правда было здорово. Такой дом подошел бы для большой семьи — оставалось лишь расставить подходящую мебель да еще кое-какие мелочи. Однако при виде гостиной все мысли тут же вылетели у меня из головы.

Комната утопала во мраке. Единственным источником света было тусклое мерцание полудюжины мониторов, установленных на круглом столе в центре комнаты. И за этим столом, среди тарелок с недоеденной едой и пустых жестянок из-под напитков, сидели четверо крайне неопрятного вида ребят.

— Парни, это Рэнди, — заявил Марк.

В ответ раздалось нестройное бормотание. Ребята были с головой погружены в работу и общались друг с другом через стереонаушники. По-человечески мы познакомились чуть позже, за ужином в скромном местном баре «Датч Гус».

Помню, вначале я испытала жгучее отвращение к образу жизни, который вели Марк и его команда. Что дом, что бар прекрасно иллюстрировали его. Еду в «Датч Гусе» можно было назвать лишь отчасти съедобной, зато атмосфера в баре царила веселая и энергичная, а пиво лилось рекой.

В тот вечер Марк рассказал мне все о проекте, над которым работали ребята. Помню, это была страстная и вдумчивая речь.

— Мы собираемся создать всемирную сеть, — сказал он.

Следующие несколько часов он вещал о растущих функциях и возможностях и о расширении университетской программы. Марк всегда говорил быстро, так что мне легко было вникнуть в детали проблемы. Остальные члены команды в основном слушали, потягивая пиво и тихо переговариваясь между собой о насущных вопросах.

Энтузиазм Марка оказался настолько заразительным, что мое воображение тут же нарисовало грандиозное будущее «Фейсбука». Оба выходных я наблюдала за жизнью команды со смесью восторга и ужаса. Ребята жили в доме все вместе и занимались программированием круглые сутки. В тот момент это вовсе не казалось веселым или приятным. Однако они были настолько уверены в успехе своей работы, что я, хоть и не могла ничем помочь, оказалась помимо воли охвачена их настроением. Внезапно я поняла, что вижу живое воплощение американской мечты, то и дело подпитываемое очередной банкой «Ред Булла».

«Они собираются создать всемирную сеть», — думала я, откидываясь на спинку стула и глядя, как ребята программируют. Это было безумие. Но безумие это было прекрасно.

Однако окончательное понимание происходящего пришло ко мне на собрании по поводу будущей маркетинговой политики «Фейсбука». Основной целью встречи было утвердить ключевые внешние характеристики сайта: вид главной страницы, впечатление, которое он должен производить, и цветовую палитру. Это было волнующе. Пока все обсуждали, как будет выглядеть сеть для пяти миллионов пользователей, я тихонько сидела в сторонке и слушала. Ребята оживленно спорили. Я подалась вперед, чтобы не пропустить ни слова.

И вдруг все взгляды устремились ко мне.

— Эй, Рэнди, ты ведь занимаешься маркетингом. Что думаешь обо всем этом?

Десять лет воображаемой карьеры промелькнули у меня перед глазами. И правда, в «Огилви» пришлось бы проработать не менее десяти лет, чтобы меня допустили на подобное совещание, не говоря уже о том, чтобы предоставить право на выражение собственного мнения.

Я прочистила горло.

— Ну, вот что думаю я.

Мой монолог выслушали молча и серьезно. Никто не смеялся и не подтрунивал над моими предложениями. После того как я объяснила, почему предпочтительнее всего бледно-голубой цвет, и высказала еще несколько маркетинговых идей, обсуждение возобновилось. Только теперь я уже была его активным участником.

Не помню, чем все закончилось. В памяти осталось лишь ощущение внутреннего подъема и безграничного счастья. В тот момент я осознала, какие потрясающие карьерные перспективы открывает передо мной «Фейсбук». Их нельзя было упускать.

В последний вечер перед вылетом в Нью-Йорк, вместо того чтобы ужинать, попивать пиво или помогать ребятам в программировании, я сидела в офисе «Фейсбука», который находился прямо над китайским ресторанчиком в центре Пало-Альто, и обсуждала с братом свой стартовый оклад. Мы сидели друг напротив друга за его столом, и Марк расписывал финансовые выкладки на салфетке.

— Как насчет такого? — Марк пододвинул салфетку ко мне.

Доля была солидной. Но разве могут акции сравниться с реальными деньгами? Я перечеркнула фондовую часть и увеличила зарплату. А затем протянула салфетку обратно.

Марк ненадолго задумался, а затем решительно написал что-то на листке. Спустя мгновение он пододвинул салфетку обратно.

Мои цифры оказались перечеркнуты, Марк настаивал на своем первоначальном предложении.

— Верь мне, — сказал он. — Тебе нужно вовсе не то, о чем ты думаешь.

В тот момент я не совсем поняла его слова — мне было всего двадцать два, и шанс получать больше 450 долларов в неделю (которые я могла с легкостью заработать в другом месте) был для меня пределом мечтаний. Но, черт побери, как же я понимаю эти слова сейчас!

Через несколько лет мне предстояло оказаться в коридоре собственного дома, изливая брату душу и рассказывая о желании покинуть «Фейсбук». Однако в то судьбоносное лето 2005 года в тишине пустого офиса началась новая глава моей жизни.

Люди часто спрашивают меня: «Если бы можно было вернуться назад, хотели бы вы что-нибудь поменять в прошлом?» Глупый вопрос. Даже не знаю, какого ответа они ожидают. То ли хотят, чтобы я поделилась житейской мудростью, то ли ждут, что на свет выплывут какие-нибудь страшные тайны. Обычно на такие вопросы я отвечаю шуткой и говорю, что «попросила бы больше акций». В ответ чаще всего звучит смех, но каждый раз в такие моменты я вспоминаю Марка. Удивительно, насколько глубже он понимал происходящее еще тогда. И это при том, что даже я в те годы была слишком молода и наивна.

После того как все детали контракта были урегулированы должным образом (то есть на салфетке), пришло время мечтать о будущей жизни. Я летела обратно в Нью-Йорк и весь полет улыбалась.

— Вы выглядите счастливой, — заметила пожилая дама с соседнего кресла. Наши места были расположены в премиум-зоне эконом-класса.

Я улыбнулась в ответ так широко, что дама, кажется, немного испугалась.

Жизнь совершила неожиданный поворот, и я была безумно рада этому. Карьерные перспективы окрыляли. Казалось, весь Нью-Йорк завизжит от восторга, а в аэропорту Ла Гуардия меня встретят с ликованием.

Реальность обернулась полным разочарованием. Коллеги заявили, что я совершаю ужасную ошибку и ставлю крест на собственной карьере. Брент, с которым я в тот момент встречалась, только что уволился с работы мечты в Сан-Франциско, чтобы переехать ко мне в Нью-Йорк, и тоже был не слишком рад новостям. За невыносимо длинным и мрачным ужином в китайском ресторанчике на Манхэттене мы обсудили, как мое решение отразится на наших взаимоотношениях.

Мама была в восторге. Наверное, тайная мечта любой матери состоит в том, чтобы ее дети работали вместе. Она поддерживала мою погоню за мечтой, побуждая принять предложение Марка и воспользоваться представившейся возможностью. В то же время она понимала, что Брент должен поехать со мной, и оказала нам огромную поддержку, удержав от расставания. Мама не просто симпатизировала Бренту, она по-настоящему восхищалась им. Впервые увидев его, она сразу же заявила: «Рэнди, только не про...би».

Теперь, когда я готовилась к работе в «Фейсбуке» и новой жизни в Калифорнии, мама дала мне еще один ценный совет. На этот раз он касался моей карьеры.

— Рэнди, только не про...би!

Глава 2
неогранённый алмаз

Итак, я переехала в Калифорнию ради «Фейсбука».

Официально меня приняли на работу 1 сентября 2005 года. На самом деле к тому моменту я уже несколько недель трудилась в поте лица. После стремительного завершения дел в Нью-Йорке я все никак не могла привыкнуть к жизни на Западном побережье.

На «Крейгслисте» мне удалось отыскать объявление о том, что в одном из домов Менло-Парка сдается комната. Трое соседей-аспирантов выглядели не слишком подозрительно. Месторасположение жилья подходило идеально, и этого мне оказалось достаточно. Я сняла комнату.

Попади я в приличную, обыкновенную компанию, процесс адаптации к новой жизни в Калифорнии наверняка оказался бы куда более болезненным. Помимо Марка, в области залива Сан-Франциско других знакомых у меня не было. Своя команда в «Фейсбуке» еще не успела сформироваться, а все остальные немногочисленные новые сотрудники были программистами. В офисе царили скромность и простота, что типично для штаб-квартир стартапов[1]. Под нами находились весьма подозрительный, но на удивление хороший китайский ресторанчик и пиццерия.

И тем не менее я никогда не чувствовала себя одинокой, или подавленной, или находящейся не в своей тарелке. Это было восхитительное время. Вскоре после моего появления мы пересекли рубеж в пять миллионов пользователей. Инвестор Питер Тиль организовал для нас корпоратив в «Покосившейся двери» — модном вьетнамском ресторане Сан-Франциско. Помню, как весь наш небольшой коллектив сидел за единственным столиком и чувствовал себя так, словно мы достигли заоблачных высот. Пять миллионов пользователей! Что может быть круче?

Времени на переживания просто не оставалось. С самого первого рабочего дня я работала засучив рукава. В компании трудилось всего несколько десятков человек, и рук не хватало. Каждому нужна была какая-то помощь. Или маленькая услуга. Ну пожалуйста, а?

Меня частенько пытались подкупить кексами. И я была очень даже не против.

---

[1] Стартап — недавно созданная фирма, часто интернет-компания.

Я трудилась везде, где была нужна. Возможность поэкспериментировать с обязанностями и поучаствовать в стартапе доставляла мне истинное наслаждение. На заре предприятия нет ничего необычного в том, чтобы заниматься кучей дел и примерять на себя различные роли. Когда мои дни в «Фейсбуке» подходили к концу, я частенько шутила, что успела поработать во всех отделах, за исключением отдела информационных технологий. Несколько месяцев на моей визитной карточке красовались надписи «воин-самурай» или «ниндзя», поскольку я работала на стольких позициях одновременно, что уместить их все в один список было крайне проблематично.

Так как я ничего не смыслила в программировании, на мою долю выпадала вся остальная работа. Вначале я совмещала роли маркетолога, специалиста по коммерческому развитию и менеджера по продажам. Поскольку маркетинговая кампания на тот момент была самой что ни на есть обыкновенной, мне удавалось помогать еще нескольким отделам. «Фейсбук» по-прежнему был доступен лишь в американских колледжах и университетах, однако сайт имел такой успех, что буквально продвигал себя сам. Фактически мой бюджет на маркетинговую кампанию за первый год работы в «Фейсбуке» составил что-то около сотни долларов. На эти деньги я заказала футболки с логотипом для съемок видео в Нью-Йоркском университете. Вполне возможно, я даже переплатила.

Почти весь первый год я проработала в команде продажников. Я помогала разрабатывать маркетинговые ходы для тех фирм, которые хотели размещать свою рекламу на «Фейсбуке». При моем активном участии выстроилась первая кампания «Снова в школу». Взяв за основу рекламу фирм-компаньонов, мы провели самую масштабную на тот момент маркетинговую кампанию.

Людей в нашей фирме было немного, и мы работали все свое свободное время. Дни плавно перетекали в ночи, а затем и в выходные. Часы в офисе сменялись часами у кого-нибудь дома или в «Старом Профи» — нашем любимом баре в центре Пало-Альто. Коллеги стали закадычными друзьями, а некоторые даже образовали «фейсбуковые парочки».

Ранний состав команды ощущал глубокую сплоченность — нечто подобное чувствуют все, кто упорно трудится бок о бок ради достижения одной общей цели. Конечно, я понимала, что все это ненадолго и однажды каждый пойдет собственным путем, но в тот момент это вызывало восторженный трепет. «Фейсбук» был нашей работой, нашей общностью, нашей личной жизнью — и жизнью вообще. И я любила его.

Мы гордились своей миссией и с гордостью носили «униформу» — фирменные шапки, футболки, кофты. До сих пор ни одна дизайнерская сумка, купленная в минуту моей шопоголической слабости, не собирает столько комплиментов от незнакомцев, сколько моя старая затертая сумка для ноутбука с логотипом «Фейсбука».

В Нью-Йорке все как один проводили жирную разделительную черту между карьерой и личной жизнью. В Калифорнии наша компания воспринималась как одна большая семья.

И все же мой путь вовсе не был усыпан розами. За первый год работы мне довелось столкнуться с двумя серьезными проблемами. Во-первых, в Нью-Йорке те, кто занимался бизнесом или маркетингом, играли главные роли. Но в Кремниевой долине к ним относились, как к надоедливым насекомым. Зато программистов на Западе чтили, точно рок-звезд или богов. Остальные были своего рода обслуживающим персоналом. Тому, кто не умел программировать, нужно было орать во всю глотку, чтобы его услышали.

Второй проблемой стало наше родство с Марком. Хоть я и работала до изнеможения и выкрасила «Фейсбук» в голубой цвет, все это не имело ровно никакого значения. Большинство сотрудников считало меня исключительно сестрой босса и полагало, что я работаю в компании лишь из родственной солидарности. Один из коллег почти год называл меня не иначе как «сестрой Цукера». Новые сотрудники частенько набивались ко мне в друзья, но тут же бросали свои попытки, как только узнавали, что я не имею на Марка никакого влияния.

Нельзя сказать, чтобы Марк пытался как-то облегчить мою участь. На первом собрании, где мы оказались вместе (это было спустя неделю после моего приема на работу), он на глазах у всех порвал в клочки мой отчет, который я передала ему. Несколько недель спустя он прошел насквозь через наш офис открытой планировки и поздоровался со всеми, кроме меня. Когда я позже спросила его, зачем он это сделал, Марк ответил: «Знаешь, честно говоря, я даже не задумался об этом. Наверное, я посчитал, что такое недружелюбное поведение покажет всем, что ты не пользуешься никакими особыми привилегиями».

Спасибо, братец.

Через несколько лет один из моих коллег очень точно охарактеризовал ту ситуацию.

— Знаешь, Рэнди, — сказал он, — уверен, что быть сестрой Марка очень полезно. Это открывает многие двери. Но я тебе не завидую. Женщины в мире высоких технологий должны быть вдвое круче коллег-мужчин, чтобы к ним относились как к равным. А тебе нужно быть круче втрое. И даже тогда люди все равно будут ставить твои успехи под сомнение.

Фамилия действительно открывала передо мной многие двери, и польза ее всегда перевешивала негативные аспекты. Но только открывать двери не слишком результативное занятие, если, конечно, не изменять ход вещей, входя в них.

Присоединившись к «Фейсбуку», я поняла, что впереди — долгий путь и большая черная тень. Меня могли и не оценить по заслугам. Тогда на всю оставшуюся жизнь мне пришлось бы остаться чьей-то там сестрой.

Когда я начала работать в «Фейсбуке», мне было двадцать три года. Выпустившись из Гарварда, я жила в Нью-Йорке и считала, будто знаю все на свете. На самом деле я была всего лишь ребенком и понятия не имела, как поставить себя на новом рабочем месте.

Час славы настал для меня в тот день, когда известный в технологичеких кругах блогер Роберт Скобл написал статью обо мне под названием «Первая сестра "Фейсбука"». От его внимания не ускользнуло ничто: там были подробности моего детства, рассказ об увлечении театром, музыкой, пением а капелла — и такое внимание мне очень понравилось. Я радовалась обретению собственного веса в Кремниевой долине, создавала пародийные музыкальные видео и загружала их на «Ютьюб», тем самым закрепив за собой репутацию человека, который с удовольствием выпивал коктейль (а может, и три) и хватал микрофон, чтобы спеть на каждом мероприятии, где только было возможно.

Моим ключевым хитом на корпоративах «Фейсбука» стала песня «Эванесенс» «Верни меня к жизни», которую я исполняла дуэтом со своим близким другом Крисом Келли. Наша рабочая группа

«Суть Эванесенс» внесла значительный вклад в культурное развитие компании: мы победили в первом камерном конкурсе «Идол Фейсбука» — мини-версии «Идола Америки». При этом нашим девизом была фраза «У "Эванесенс" два хита, и мы поем оба».

В силу моего возраста и того, что в Кремниевой долине я была новичком, мое поведение не слишком вписалось в рамки местных культурных догм. Я относилась к коллегам не как к друзьям, семье или единомышленникам, а, скорее, как к товарищам по институтскому общежитию. Обманчивое чувство доверительной близости заставило меня расслабиться и поверить, что на работе можно вести себя так же, как в обычной жизни. Реальность расставила все по своим местам. Впечатление, которое я оказывала на окружающих, играло большую роль, а значит, раскрывать карты было неразумно.

Возможно, парню-профессионалу могли бы простить столь раскованное поведение, но молодой женщине — едва ли. Однажды очень уважаемый мною наставник отвел меня в сторонку и сказал: «Рэнди, ты ведь все понимаешь. Женщине пресса никогда не простит подобного поведения; тебя выставят в крайне неприятном свете. Неужели тебе хочется прославиться за пределами маркетингового отдела "Фейсбука" в качестве местной дурочки? Или чтобы тебя называли "странноватой сестричкой Марка Цукерберга, которая поет"?» Если уж говорить начистоту, мне хотелось заниматься и тем, и другим. Быть успешным работником, но при этом иметь хобби и собственные интересы. Жить полноценной жизнью разностороннего человека.

Будь у меня возможность пройти через все это снова, я бы взяла себя в руки, опустила глаза и первые несколько лет не думала бы ни о чем, кроме работы. Тогда, возможно, люди решили бы, что это и есть моя «креативная» сторона. Как бы то ни было, в реальности я сделала все, чего молодой женщине лучше никогда не делать во имя карьерного роста.

Несмотря на вульгарное поведение, в компании у меня появилось несколько сторонников. Лишь с их помощью мне удалось раскрыться в той роли, которая отвечала моим интересам, амбициям и возможностям. Нестандартное мышление и любовь к «Фейсбуку», благодаря которой мне удавалось проводить выгодную маркетинговую политику, вряд ли смогли бы проявиться без их содействия.

Сперва меня взял под крыло Майк Мерфи, обходительный глава отдела продаж. Он лично контролировал, чтобы я получала проекты, которые были мне по плечу и заставляли бы меня засиять во всем своем великолепии, тем самым изменяя представления обо мне, бытовавшие среди сотрудников. План кампании «Снова в школу» мы с Майком расписали на салфетке, и я люблю вспоминать об этом. (Студенты могли отправлять друг другу в «Фейсбуке» забавные сообщения вроде «уж лучше бы все получилось» или «уж лучше бы я жил в Канзасе», одновременно просматривая рекламные ролики наших первых рекламодателей.)

В стартапах на салфетках строится много планов. Позже, в середине 2006 года, «Фейсбук» привлек к сотрудничеству Дэна Роуза, который занял пост главы отдела коммерческого развития. Одной из его ключевых побед стал мультимиллионный контракт с компанией «Комкаст», на тот момент оказавшийся самой крупной сделкой «Фейсбука».

Через некоторое время после своего прибытия Дэн подошел к моему столу.

— Слышал, будто ты творческий человек и любишь работать со СМИ, — осторожно начал он. — Не хочешь поработать вместе со мной?

Вскоре после этого я присоединилась к его команде и занялась переговорами с «Комкастом». Мы проработали с Дэном почти два года, заключив сделки со множеством медиапартнеров, от «Комкаста» и «Эй-Би-Си ньюс» до «Си-Эн-Эн».

В течение двух лет, пока остальная часть команды отдела коммерческого развития занималась вопросами слияния и поглощения, охотясь за предложениями о сотрудничестве от «Майкрософта», я специализировалась на развитии связей между «Фейсбуком» и самыми популярными СМИ, в том числе телевизионными. Когда в 2008 году у «Фейсбука» появился настоящий отдел маркетинга, мы с двумя потрясающими женщинами — Ракель Дисабатино и Мейнал Балар — объединили усилия и создали новую группу под названием «потребительский маркетинг», где я и работала до самого ухода из «Фейсбука».

Это был обыкновенный и в то же время чарующий момент. Три года назад в Нью-Йорке я не находила себе места от желания опробовать собственные силы и доказать, на что я способна. Я представляла то время, когда смогу собрать собственную команду и заняться личными планами — и менять мир по-своему.

Летом 2005 года я вошла в комнату, где сидело с полдюжины программистов. Будущая империя в тот момент занимала малюсенький пригородный дом и простиралась от кухни до диванов. Несколько лет спустя вместо пары парней у нас уже были сотни работников — лучшие из лучших в своей индустрии.

Светила науки, звезды СМИ, академики и знаменитости — вся Всемирная паутина непрерывно обсуждала и критиковала нас и размышляла о будущем компании и ее влиянии на мир в целом. В 2010 году журналист и писатель Дэвид Киркпатрик использовал фразу «эффект "Фейсбука"», чтобы описать то уникальное влияние, которое «Фейсбук» оказывал на людей. Содержимое сайта вызывало пристальное внимание общественности по всему миру. «Фейсбук» стал своего рода символом времени. Мы показали людям дружбу, любовь, работу, маркетинг, деловые взаимоотношения, общественную и благотворительную деятельность будущего. Это была революция.

Технологии — средство, а не цель

В Кремниевой долине легко погрузиться в работу с головой. Повсюду высокие технологии, и к этому быстро привыкаешь. Концентрируясь на статистике сайта, технологических обзорах и промышленных блогах, даже самые умные люди планеты, разработавшие многие изменившие ход истории вещи, склонны забывать, что по другую сторону этих самых технологий стоят вполне обыкновенные человеческие существа.

Долина — я имею в виду технологическую индустрию области залива Сан-Франциско в целом, включая и сам Сан-Франциско, — это передовая линия разработки инновационных средств связи. Здесь расположены офисы большинства ведущих высокотехнологичных компаний, включая «Эппл», «Гугл», «Фейсбук», «ЛинкедИн», «Пинтерест», «Твиттер» и «Яху!». Все это формирует прочную базу для новичков бизнеса, инвесторов и технологических блогеров. Бешеная конкуренция в среде программистов заставляет компании предлагать все более и более безумные привилегии, чтобы удерживать своих сотрудников. Термин «золотые наручники» употребляют здесь применительно к тем людям, которые хотели бы сменить работу или начать собственный бизнес, но не находят в себе сил покинуть насиженное место, которое приносит столь огромные доходы. Здесь не разделяют работу и игру. Жить в Кремниевой долине означает жить высокими технологиями 24 часа в сутки, 7 дней в неделю. Ты читаешь новости по теме, прислушиваешься к технологическим сплетням в кофейне, внедряешь технологии в дружеские и семейные взаимоотношения.

По мере того как прогрессировала моя карьера в «Фейсбуке», я начинала все лучше понимать Долину. Нет, меня влекло вовсе не к программированию, не к компьютерным системам и даже не к технически навороченным гаджетам — вовсе не это заставляло меня выскакивать из постели каждое утро. Мой энтузиазм не имел никакого отношения и к духу соперничества и бесконечным битвам за первое место. Я думала лишь о людях, стоящих по другую сторону технологий. Я размышляла о том, что делать со всеми этими гаджетами, как совершенствовать индустрию. Но сильнее всего меня заботило то влияние, которое мы могли оказать на жизни людей и сообществ всего мира.

Я понимала, что будет непросто заставить людей разглядеть за технологиями человека, особенно в компании, где власть компьютерщиков была бесспорна и безгранична. Но в эту тяжелую битву мне не терпелось вступить. Я видела, как «Фейсбук» налаживал дружеские и социальные связи между людьми, и была убеждена, что мы способны на большее. Например, показать людям ценность образования, науки, искусства, бизнеса и общих интересов. В день, когда президент Обама посетил «Фейсбук» и изложил те же идеи, я поняла, что наша объединяющая роль ничуть не была преувеличена. Мои мысли оказались верны.

Но сама идея сформировалась гораздо раньше, в 2007 году, когда я увидела, что «Фейсбук» может служить не только местом горячих споров, но и политической ареной.

Летом 2007-го началась безумная предвыборная гонка. Хотя сами выборы должны были состояться только на следующий год, рождение «Фейсбука» и прочих социальных сетей не укрылось от политиков. До начала официальных кампаний оставалось еще много месяцев, но многие из возможных кандидатов уже обратились к «Фейсбуку», чтобы зарегистрировать официальные страницы.

На меня обрушилась лавина информации. Теперь мы узнавали о том, кто собирается выставить свою кандидатуру, гораздо раньше официальных СМИ. Пока эксперты спорили, будет ли Майк Блумберг баллотироваться на пост президента, я с тайным удовлетворением думала, что он пока не зарегистрировал свою страницу. А значит (хоть я и не могла быть уверенной на все сто процентов), он не собирался участвовать в гонке.

Но было еще кое-что важное. Из студенческого сайта «Фейсбук» превратился в неотъемлемый инструмент каждого человека, в том числе и тех, кто собирался совершить нечто очень важное. Например, поучаствовать в президентских выборах. У «Фейсбука» появился великолепный шанс расширить свою аудиторию и возможности.

Я понимала, что создание публичных страниц — еще не все, что необходимо было активизировать участие «Фейсбука» в политической жизни. И я начала активно пропагандировать идею вовлечения «Фейсбука» в мероприятие, которое обещало стать знаковым для будущего года. Я полагала, что идею сразу воспримут на ура. И правда, многие из моих коллег пришли в настоящий восторг. Однако тем летом компания занималась новой рекламной программой, закончить которую собирались лишь к концу года. Реклама была предметом пристального, жадного внимания как Марка, так и всего остального руководства, а это означало возможность для каждого, кто работал над рекламными проектами, удостоиться похвалы начальства и даже пообщаться с глазу на глаз с самим Марком, который в Кремниевой долине уже считался чем-то вроде священной коровы.

Мои коллеги мгновенно потеряли интерес к выборам, которые ожидались еще чуть ли не через год.

Наверное, вы могли подумать, что умнее всего с моей стороны было бы пересмотреть приоритеты, согласиться с остальными, подыграть «корпоративной политике». Возможно, вы правы.

Вот только... Я намеревалась разработать собственную политику. К счастью или к несчастью, я всегда пыталась отыскать собственный неограненный алмаз — проект, которым я могла бы заниматься лично, который могла бы выстраивать и формировать. То, что другим казалось новым, восхитительным и перспективным, меня не интересовало.

К счастью, мне удалось заручиться поддержкой четырех друзей и коллег: моего босса Дэна Роуза, проверенного временем друга и по совместительству влиятельного менеджера по продукции Эзры Каллахана, нашего главного юрисконсульта Криса Келли и главы отдела коммерческого развития Дэвида Финча. Эти люди стали моими главными союзниками в грядущей подрывной операции. Чуть позже в наши ряды вступили Адам Коннер и Эндрю Нойес. Они присоединились к «Фейсбуку» в Вашингтоне, округ Колумбия, и стали соучастниками нашего преступления и моими друзьями на всю жизнь.

Шагом номер один было заключение сотрудничества с «Эй-Би-Си ньюс».

Наши переговоры тут же вызвали реакцию конкурирующих интернет-компаний. Каждый стремился осветить «сетевые выборы» с новой стороны. «Ютьюб» и «Си-Эн-Эн» первыми объявили о совместной трансляции дебатов. Последующие объединения не заставили себя долго ждать. Новостные компании были счастливы воспользоваться технологическими новинками, чтобы привлечь молодую, технически подкованную аудиторию.

Вскоре обстановка накалилась до предела. Это был настоящий Дикий Запад! Хватай понравившуюся социальную сеть и беги! Телевизионные каналы объявляли об «интеграции» со всеми известными мировыми сайтами, отчаянно надеясь на успех. Нам поступало огромное количество предложений о сотрудничестве, которые мы последовательно отклоняли. «Фейсбук» ждал чего-то необычного, уникального — такого предложения, которое показало бы истинную ценность сайта.

А потом мы наконец отыскали тех, с кем можно было переговорить с глазу на глаз. Трехчасовой обед с Эндрю Морсом и Полом Славином с «Эй-Би-Си ньюс» в ресторане «Бука ди Беппо» в центре Пало-Альто завершился рождением идеи о совместной трансляции предвыборных дебатов. Кроме того, «Фейсбук» должен был объявлять результаты выборов в прямом эфире. Бессчетное количество банок с диетической кока-колой и тарелок с фрикадельками не прошли даром. «Фейсбук» обязался также предоставить пользователям возможность ознакомиться с политической программой каждого из кандидатов и вести дискуссии, а представители «Эй-Би-Си», в свою очередь, собирались включить ответы на заданные вопросы в трансляцию дебатов в прямом эфире.

Такое решение предоставляло нам уникальные возможности. Во-первых, «Фейсбук» получал доступ к столь необходимому новостному контенту, во-вторых, он мог удачно задействовать новую «ленту новостей» и протестировать недавно запущенную платформу для приложений. В то время как большинство ранних приложений составляли игры, это приложение позволяло пользователям высказывать собственное мнение о выборах 2008 года и обсуждать свою точку зрения с друзьями. Едва кто-то сообщал о своей политической позиции, она тут же высвечивалась в ленте новостей, после чего друзья пользователя могли оставлять комментарии и вступать в дискуссии по теме. Таким образом «Эй-Би-Си ньюс» мгновенно выходили на новый, молодежный уровень, избавляясь от конкуренции с другими компаниями. Соглашение было заключено моментально.

Этот этап проекта оказался, как ни странно, куда менее тяжелым и запоминающимся, чем мы ожидали. Я работала над контрактами вместе с Дэвидом, моим коллегой из отдела развития, и юристом Джулией Попович. «Фейсбук» тем временем перебрался в новый офис. Электричество в здание еще не провели, поэтому вечерами мы частенько работали при свете коммуникаторов «Блэкберри», изучая огромные тридцатистраничные контракты от «Эй-Би-Си». Переговоры оказались настолько жаркими, что один из сотрудников даже получил сердечный приступ.

Когда все ужасы переговоров остались наконец позади и все бумаги были подписаны, к делу подключился «основной состав» команды. Мы с моим коллегой Эзрой, а также группой программистов, занялись разработкой приложения для обращений. От «Эй-Би-Си» к нам присоединились двое парней, Остин Вэнс и Брэдли Лотенбах. Весь следующий год нам предстояло трудиться бок о бок. Ребята успели поработать на «Ютьюбе», из-за чего считались в «Эй-Би-Си» крутыми, «секущими в технике перцами». И все же нас свел счастливый случай. Пятью годами позже мы с Брэдли вместе организовали «Цукерберг Медиа». Однако тогда, сидя в жаркий летний полдень в ресторане «Хьюстонс» в Нью-Йорке и потягивая коктейли, мы думали лишь о том, как взорвать политику смешением «старых» медиа с «новыми».

Но перенесемся в январь 2008 года. Количество пользователей приложения «Американская политика» перевалило за миллион. Для «Фейсбука» это был грандиозный успех. Хиллари Клинтон шла ноздря в ноздрю с Бараком Обамой от партийной конференции в Айове[1] до праймериз в Нью-Гэмпшире[2]. А Диана Сойер в прямом эфире зачитывала статистику и комментировала происходящее, отвечая интернет-пользователям. Наша команда чуть не лопалась от гордости — стойку ведущей украшал гигантский логотип «Фейсбука».

Была и еще одна причина для моей радости. За день до начала дебатов состоялся мой дебют на телевидении. Я появилась в передаче «Доброе утро, Америка». Ни больше ни меньше. Мы с Эзрой

---

[1] Партийная конференция в Айове — первое собрание политической партии в год президентских выборов, на котором избираются делегаты на национальные конвенты политических партий.

[2] Праймериз (предварительные выборы) в штате Нью-Гэмпшир имеют огромное значение для дальнейшей политической и финансовой поддержки кандидата.

были в Нью-Йорке, когда «Эй-Би-Си» предложили нам понаблюдать за записью программы. Никогда прежде мне не доводилось бывать в студии национального утреннего шоу (не считая продюсирования пятичасовой передачи Стива Форбса). И Эзра, и я проснулись ни свет ни заря и поехали прямо в студию в Верхнем Вест-сайде, где и прошатались бог знает сколько, глазея по сторонам. Поскольку наша поездка предполагала лишь знакомство с закулисной жизнью телевидения, да и час был неприлично ранний, нарядились мы в парадно-выходную «униформу» Кремниевой долины. Эзра надел кофту с логотипом «Фейсбука» и джинсы, а я — платье-свитер и стоптанные ботинки.

К нам подошел продюсер:

— В общем, так. У нас в передаче есть момент, когда мы даем картинки погоды в разных регионах, но те зрители, кому погода не интересна, в течение минуты слушают нашу болтовню. Почему бы вам с Эзрой не поболтать с ведущим в эту минуту?

Наши рты от удивления распахнулись.

В Калифорнии было три утра. Пиар-команда «Фейсбука» мирно спала в своих постелях, но даже если бы кто-то их разбудил, вряд ли они успели бы вовремя дать нам свое благословение. Решение нужно было принять мгновенно. Я посмотрела на Эзру. Он понимающе кивнул, и мы согласились. Когда еще нам представится шанс принять участие в программе «Доброе утро, Америка»? И мы сделали это.

Все прошло замечательно. Потом я получила небольшой втык от пиарщиков. Но ведь иногда гораздо легче просить прощения, чем разрешения, не так ли?

Моя вера в себя и в то, что мы пошли правильным путем, лишь возросла, когда специалист по общественным исследованиям Хиллари Клинтон Марк Пенн заявил, что сторонники Обамы — «сплошной "Фейсбук"». Это был вовсе не комплимент, однако факт оставался фактом: «Фейсбук» был чем-то новым, неожиданным и внезапным. Вскоре после этого Обама неожиданно выиграл в Айове. И поддержали его как раз те самые молодые люди, которых привлекли к голосованию социальные сети. Новый «Фейсбук» больше не был лишь инструментом презентации, теперь он и сам влиял на ход политических кампаний.

Мой неограненный алмаз стал сиять ярче.

После дебатов нам снова пришлось заняться поисками чего-то новенького. У «Фейсбука» не хватало ресурсов для поддержки политического приложения, а «Эй-Би-Си» не захотели взять проект на себя. Приложение было свернуто, программа удалена. Смириться с этим оказалось тяжело. Миллион пользователей и множество часов упорного труда выбросили коту под хвост. Меня охватило жгучее желание создать что-то монументальное.

Тогда-то мы и познакомились с «Си-Эн-Эн», а точнее — с Энди Митчеллом. Переговоры с Энди начались еще за несколько месяцев до этого, когда он предложил мне вылететь в Санкт-Петербург, что в штате Флорида, чтобы поучаствовать в дебатах «Си-Эн-Эн» и «Ютьюба» в качестве особого гостя. Тогда Энди хотел, чтобы «Фейсбук» расторг соглашение с «Эй-Би-Си ньюс». И теперь я решила возобновить переговоры.

К счастью, Энди оказался более чем понимающим человеком, и мы успели обсудить кучу интересных идей взаимодействия «Фейсбука» с «Си-Эн-Эн». Возможно, следовало организовать очередные дебаты? Или придумать что-то с голосованием и статистикой? В конце концов мы договорились превратить приложение «Фейсбука» в полноценный микросайт «Си-Эн-Эн», куда пользователи могли бы переходить при помощи незадолго до того представленной «кнопки соединения». Предполагалось, что в ночь выборов на сайте будут проходить дебаты пользователей, а это сразу же поднимало проект, начатый с «Эй-Би-Си», на новый уровень. Да, люди публиковали собственные мысли на CNN.com, но все происходящее одновременно транслировалось и на «Фейсбуке». Каждый мог пригласить друга поучаствовать в дебатах. У «Фейсбука» вновь появлялась возможность составить перспективное сотрудничество, благодаря которому выигрывали оба: и «Фейсбук», и «Си-Эн-Эн». Разве можно было упустить такой шанс?

Сотрудники «Си-Эн-Эн» пришли в такой восторг, что стали бомбардировать наших телевизионщиков требованиями начать продвижение микросайта. Андерсон Купер даже снял рекламный ролик. Это был мой первый проект под началом нового босса, и мне ужасно хотелось, чтобы все прошло успешно. Как Энди, так и я поставили на карту весь свой профессиональный опыт.

К несчастью, проект стал огромным разочарованием. У обеих сторон возникло множество технических проблем. В ночь выборов люди, казалось, сконцентрировались на всех сайтах, кроме нашего. На форуме царила полная тишина. Отыскать микросайт на сайте «Си-Эн-Эн» было не так-то просто, а кнопка соединения оказалась бесполезна — никто и не пытался никуда перейти. Мы упустили одну из лучших возможностей.

А потом тиски неудачи внезапно разомкнулись и к нам пришел успех.

На той же неделе в «Фейсбуке» прошел «хакатон»[1] — событие, которое обычно случается раз в несколько месяцев и заключается в том, что всю ночь люди увлеченно работают над какими-нибудь вдохновляющими проектами, а утром руководство знакомится с их презентациями, после чего все отправляются завтракать блинчиками. Конечно, сама мысль о ночной работе не прибавляет радости, однако в реальности подобные мозговые штурмы обычно превращаются в необыкновенно волную-

---

[1] Хакатон — мероприятие, во время которого различные специалисты по разработке программного обеспечения (программисты, дизайнеры, менеджеры) сообща работают над созданием веб-сервиса или мобильного приложения.

щие события, которые заряжают всех энергией. Кроме того, они способствуют формированию командного духа.

Было уже около двух часов ночи, и я уже собиралась отправиться домой (сколько я ни пыталась, у меня ни разу так и не получилось по-настоящему проработать целую ночь), когда ко мне подошли двое программистов:

— Рэнди, мы тут узнали, что ты работаешь с телевидением. У нас есть идея.

Компьютерные инженеры Питер Денг и Эри Стейнберг объяснили, что во время дебатов их все время раздражало то, что приходилось держать открытыми одновременно два окна: одно, чтобы следить за дебатами, а второе — чтобы просматривать комментарии друзей на «Фейсбуке». Почему бы не придумать, как их объединить?

Я позвонила Энди Митчеллу.

Четыре недели спустя на руках у нас был рабочий прототип программы, которой «Си-Эн-Эн» решили воспользоваться во время трансляции инаугурации Обамы. Однако все оказалось не так просто. Программа требовала огромных ресурсов как со стороны «Фейсбука», так и со стороны «Си-Эн-Эн». Возникло множество технических загвоздок. Пришлось составить черный список, куда вошли все возможные ругательства и проклятия («Фейсбук» собирался обеспечить «вежливые и дружелюбные выборы», черт бы их побрал!). К тому же в воздухе висел вопрос, сможет ли сайт выдержать загрузку стольких различных видеопотоков одновременно.

В лучших традициях Кремниевой долины ночные переговоры с двумя программистами в рекордно короткие сроки вылились в полноценный продукт.

Однако впереди было еще очень много работы.

За неделю до инаугурации мы с Энди обсуждали, как приложение будет работать во время прямого включения. «Си-Эн-Эн» предлагали отправить одного из ведущих в Калифорнию, чтобы освещать событие прямо из штаба «Фейсбука». Предполагалось, что политический корреспондент будет рассказывать о том, что творится в социальных сетях и как люди реагируют на событие дня. Вот только с поиском подходящей кандидатуры у телеканала возникли проблемы. Кандидат должен был хорошо разбираться в сетевой жизни, быть достаточно молодым, чтобы общаться с юной аудиторией, и достаточно взрослым, чтобы его воспринимали всерьез, а также обладать фотогеничностью — где найти человека с такими характеристиками?

Я тихо пробормотала в трубку слова сочувствия. Похоже было, что придется туго.

— А ты не хочешь попробовать? — буднично спросил Энди.

Последовала пауза.

— Что?

Мое сердце бешено застучало. Это был шанс, который дается раз в жизни, и тем не менее я побоялась принять предложение сразу. Выторговав у

Энди время на раздумье, я решила посоветоваться с коллегами. Энди же выпросил у меня разрешение озвучить мое имя во время переговоров с боссом. Время поджимало.

Я наматывала круги по офису и вспоминала все, что мне довелось пережить. Квартира в Нью-Йорке после окончания университета, долгие дни и ночи в «Огилви». Первая поездка к Марку в Калифорнию и группка программистов, работавших в темной комнате. Я вспомнила все глупые видео, которые записала, и счастье от участия в съемках. А потом задумалась обо всех проектах, над которыми работала в «Фейсбуке» последние четыре года вплоть до самых выборов.

Все казалось каким-то нереальным: я, на телевидении, рассуждаю о высоких технологиях и политике перед многомиллионной аудиторией. Одно дело посмеяться минутку перед камерой, чтобы заполнить окно в программе. И совсем другое — выступать в роли эксперта.

Всю жизнь мне хотелось добиться влияния, личного и профессионального. Это привело меня в новейшие технологии. И это же заставило взглянуть на технологии с другой, более широкой позиции, увидеть в них возможность формирования идей и ценностей — и не только тех, что эхом доносились из Долины.

Отступать назад я не имела права. Мне дали шанс воплотить в жизнь все, о чем я мечтала. И конечно, было страшно. Однажды мне сказали, что настоящим лидером может считаться лишь тот, кто живет на пределе и по меньшей мере один раз в день готов проблеваться от нервов. Удача приносит пользу лишь в том случае, если умеешь воспользоваться открывающимися возможностями.

Энди перезвонил:

— Продюсеры одобрили твою кандидатуру. Ты в деле?

Я получила одобрение пиар-директора «Фейсбука» Брэнди Баркер. Теперь пришло время воспользоваться сумасшедшей карьерной возможностью.

— Я в деле.

Накануне вечером меня вдруг посетило воспоминание из детства. Я училась в четвертом классе, когда проводилась операция «Буря в пустыне». Наша классная комната была украшена желтыми ленточками, а все в округе, казалось, смотрели канал «Си-Эн-Эн». Однажды вечером за ужином мама спросила, слышала ли я последний выпуск новостей. Я ответила: нет. Тогда она сказала, что разочарована во мне, потому что каждый человек должен быть в курсе того, что происходит вокруг. Я отчаянно захотела исправить ее мнение обо мне и следующие три дня не отходила от телевизора: я смотрела «Си-Эн-Эн» и делала записи.

Как только это воспоминание всплыло из недр памяти, я схватила трубку и позвонила маме в Уэстчестер в штате Нью-Йорк.

— Слушай, мам. Я в курсе последних новостей. Я и есть последние новости, — сказала я.

— М-м-м? — Она явно не поняла, о чем я говорю. Прошло уже двадцать лет, но это не имело никакого значения. Мама пожелала мне удачи, и я отправилась в кровать, хотя, учитывая состояние моих нервов и перевозбуждение, сон был едва ли возможен.

В день инаугурации я приехала в офис «Фейсбука» в 2:30 утра. Эфир начинался в 3:00 по тихоокеанскому и в 6:00 по восточному времени. Костюм в тонкую полоску и шелковая блузка на мне могли принадлежать кому угодно, но только не обитателю Кремниевой долины. К счастью, обстановка в офисе царила активная и дружественная. Даже в столь ранний час все оставались бодрыми и энергичными. Многие из программистов работали еще с предыдущего вечера.

Исполнительный помощник «Фейсбука» Лаура Барнс, которая прежде работала в «Мак косметикс», с нетерпением ожидала, когда можно будет заняться моим макияжем. Руководитель команды программистов Джефф Ротшильд вместе со своими подопечными организовал временный штаб. Именно они отвечали за способность «Фейсбука» держаться на плаву, когда миллионы пользователей одновременно начнут загружать видео. Компьютерщики Том Уитноу и Люк Шепард искали и исправляли недочеты вместе с командой «Си-Эн-Эн». Рекламщик Тим Кендалл в последний раз объяснял основные точки дискуссии моему первому собеседнику. Вокруг сновали, налаживая вещание, и другие сотрудники «Фейсбука» и «Си-Эн-Эн».

В три часа утра меня отправили на расстрел.

Не помню, что я говорила в первой части. Помню лишь, что казалось, будто я лечу в никуда и вот-вот случится непоправимое. Я понятия не имела, как нужно держать микрофон, голос из наушника мешал мне сосредоточиться. А ведь нужно было еще как-то зачитывать новости. В реальности быть «национальным корреспондентом» оказалось куда труднее, чем я думала. Наверное, «Си-Эн-Эн» следовало свернуть мое дальнейшее выступление.

Они этого не сделали. Пытки продолжились. И с течением дня я становилась все более уверенной. Один раз меня попросили занять эфирное время чуть дольше обычного, и я смогла на ходу придумать вполне сносные замечания. Я работала рядом с именитыми корреспондентами и была счастлива. И даже забарахливший наушник не выбил меня из колеи. Я как раз зачитывала срочные новости, когда сенатору Теду Кеннеди стало плохо на инаугурации. Новость оказалась на «Фейсбуке» гораздо раньше, чем на других сайтах.

К концу дня я чувствовала себя измотанной, но довольной. Это был успех! Но и он не шел ни в какое сравнение с двадцатью шестью миллионами видеопотоков, которые транслировались через нашу систему. «Си-Эн-Эн» заполучили вчетверо больше зрителей, чем конкурирующие каналы. И все это благодаря интеграции с «Фейсбуком».

На ежемесячном совещании, которое прошло в конце той же недели, вице-президент по продукции Крис Кокс попросил мою команду подняться. А потом все сотрудники компании разразились бурными овациями.

Так иногда бывает с малопривлекательными начинаниями. На кухне популярных проектов чаще всего не протолкнуться: к кормушке пытается пробиться слишком много народу. Но если хорошо развиваются непопулярные проекты, люди, ответственные за их успех, тут же выходят на первый план. Мои огромные вложения оправдались. Я все еще прекрасно помню, каково было на глазах у всех услышать от Криса: «Это был лучший проект за всю историю "Фейсбука". Это победа "Фейсбука", победа "Си-Эн-Эн" и победа Барака Обамы». Полтора года тяжелой работы огранили сырую идею, превратив ее в чистый, сверкающий бриллиант.

Когда предвыборная гонка только начиналась, большинство экспертов спорило о том, какую роль сыграют социальные сети на политической арене — будет ли это обыкновенная трансляция новостей или участие в предвыборных кампаниях. До того времени их сомнения были оправданны. Большинство социальных сетей и видеохостингов, которые существовали прежде, были чересчур сложными или откровенно провальными — или и сложными, и провальными одновременно. Даже наш микросайт, созданный для дня выборов, попал в одну из этих категорий. Но впоследствии мы показали истинную ценность социальных сетей как для теле- и радиовещания, так и для аудитории. Мы показали силу комбинированных дебатов, которые проходили в прямом эфире и онлайн. А еще мы осветили первую по-настоящему социальную инаугурацию.

Новая модель оказалась интригующим примером для медиаиндустрии. Мы продемонстрировали, как инновации и политика могут идти рука об руку. Доказали, что новейшие технологии вкупе с телевизионным вещанием могут сформировать новую силу, способную мобилизовать избирателей. По окончании выборов аналитики начали выяснять, из-за чего кампания Обамы оказалась настолько удачной — особенно среди молодежи, — и пришли к выводу, что этому в немалой степени поспособствовали Интернет и социальные сети. В их отчетах также упоминались попытки «Фейсбука» создать политическое приложение, запуск дебатов, поддержка страниц политиков и многое-многое другое.

В этом путешествии в неизведанное я открыла для себя новый карьерный путь — частично менеджера по продукции, частично продюсера, частично хакера и частично телевизионного корреспондента. И с января 2009 года моя жизнь начала стремительно меняться.

Эта книга вовсе не для технических специалистов — она для тебя

Итак, мы снова вернулись ко времени окончания моей работы в «Фейсбуке», прямо в холл моего дома, где в апреле 2011 года стояли Марк и Бестия.

— Ты уверена, что хочешь уйти?

— Да.

Не знаю, что я ожидала услышать в ответ. Может, мне хотелось чего-то душещипательного: как-никак я только что сказала, что ухожу из компании, где проработала шесть лет, и поделилась с братом сокровенными планами переворота медиаиндустрии.

Но Марк оставался все так же невыносимо спокоен, как и всегда:

— Но зачем решать все прямо сейчас? У тебя скоро появится ребенок. Возьми сперва отпуск, займись материнскими делами и подумай о будущем.

Возможно, сыграло свою роль облегчение от удачно проведенной конференции с Обамой или то, что я поделилась своими мыслями с Марком. А может, это все стресс, который не прошел для организма бесследно. Так или иначе, на следующее утро — то есть за три недели до назначенного срока — на свет появился мой сын Ашер.

Следующие несколько недель я была настолько истощена из-за недостатка сна, что едва могла вспомнить собственное имя, не говоря уже о карьерных планах. Но вскоре, во время одной из первых моих самостоятельных прогулок после родов (до «Таргета», само собой!), мне позвонил Эндрю Морс с «Эй-Би-Си ньюс»:

— Рэнди, мои поздравления! Тебя номинируют на премию «Эмми» за твой политический репортаж.

Пути назад не было.

Проработав в «Фейсбуке» шесть лет, а по ощущениям — шесть прожитых жизней, я ушла из компании.

Люди до сих пор спрашивают, скучаю ли я по ней. Конечно, да. Но на самом деле это ностальгия по определенному периоду времени. «Фейсбук» стал для меня чем-то вроде чудесного путешествия, которое невозможно повторить и о котором я буду помнить всю жизнь. Я скучаю по многому. В сущности, то время было очень необычным. Думаю, большинство людей, которые участвовали в стартапах, ощущают нечто подобное. Наверное, поэтому в Кремниевой долине так легко подхватить дух предпринимательства. Когда ощущаешь себя частью недавно созданной компании, ты не знаешь, куда тебя забросит судьба, но зато чувствуешь пульсирующую вокруг энергию. И куда бы ни привела дорога, связь с теми, кто шел с тобой рядом, уже никогда не оборвется.

Сразу после увольнения я отправилась в годичный тур по стране, в ходе которого общалась с людьми со всего мира. После микроклимата Кремниевой долины такое общение не просто освежало — оно вызывало подлинный восторг. Я много рассказывала о том, как начала работать в сфере высоких технологий и медиа. Предсказывала грядущие тренды в маркетинге. Сыпала словечками «социальный», «локальный» и «мобильный», оправдывая ожидания толпы, но не забывая при этом о настоящих, жизненных советах.

Лишь одна вещь выбивала меня из колеи. Куда бы я ни поехала, какую бы тему ни обсуждала, мне задавали одни и те же очень личные вопросы. Как узнать, чем занимаются в Сети твои дети? Можно ли быть уверенным, что тебя не выгонят с работы и не заменят кем-то более подкованным технически? Как создать в Интернете свой собственный бренд, а потом раскрутить его? Как заставить мужа не использовать iPad в постели?

Теперь я воочию увидела свое призвание. В «Фейсбуке» я была штатной «рассказчицей» — я рассказывала всем о том, что мы не имеем права забывать о людях по другую сторону технологий и машинных алгоритмов. Именно я описывала, как «Фейсбук» улучшает и обогащает нашу жизнь.

По иронии судьбы те же гаджеты, которые вызывают глубокое восхищение и предоставляют бессчетные экономические и социальные возможности, одновременно держат нас в рабстве и развращают человеческую натуру. Год моих путешествий показал, что миллионы пользователей чувствуют себя подавленными, беззащитными и несчастными. Технологии действительно изменили их жизни, семьи и карьеры, но не всегда в лучшую сторону.

Я и сама часто пыталась отыскать баланс между жизнью внутри и вне технологий. Люди нередко задумываются о балансе между работой и личной жизнью, но, на мой взгляд, в современном обществе речь идет, скорее, о балансе между жизнью и технологиями. Будучи предпринимателем, я путешествовала по всему миру, организовывая встречи и пытаясь одновременно присутствовать в жизни своей семьи, друзей и рабочей команды. Через некоторое время я поняла, что уже не я владею собственными гаджетами — компьютером, телефоном, планшетом, — а, скорее, это они владеют мною. Давление, которое я ощущала, стараясь всегда быть онлайн, всегда оставаться на связи, было настолько сильным, что, когда спустя год я все-таки очнулась, оказалось, что позади двадцать пять стран, сотни новых друзей и деловых контактов. Я успела построить постановочную студию и организовать собственный бизнес. Но во всем этом я отчего-то забыла о том, что можно *жить* собственной жизнью, не отвлекаясь каждую минуту на техническое устройство в руке. Я разучилась отключаться и наслаждаться тем, что происходит вокруг. Я забыла, как это — жить сегодняшним днем.

Так оформилась моя миссия: мне захотелось распутать наши чудесные, запутавшиеся в Сети жизни.

Современная жизнь сложна. Стремление держать руку на пульсе новых приложений, веб-сайтов, инструментов и гаджетов выбивает из колеи. Родителям сегодня частенько хочется рвать на себе волосы от того, что происходит вокруг. В век, когда каждое наше действие публично и задокументировано, попытки совместить профессиональную жизнь, любовь и дружеские взаимоотношения в лучшем случае оказываются крайне проблематичными, а в худшем — служат окончанием карьеры. Но так не должно быть. Технологии способны наполнить жизнь смыслом и вытеснить страхи. Общение с людьми может укреплять дух, а не дезориентировать. Темные пятна могут сигнализировать не только об опасности, но и о многообещающих возможностях.

Интернет, социальные сети и смартфоны позволяют нам использовать удивительные способы и средства коммуникации. С их помощью можно изменить собственную жизнь, работу и круг общения. Мы способны по-новому взглянуть на искусство, культуру и развлечения. Найти баланс и научиться жить сегодняшним днем. Использовать технологии, чтобы разрешить проблемы, возникшие перед обществом задолго до появления «Фейсбука».

Мне хочется поделиться с вами историями из собственной жизни, историями борьбы, побед и жутковатого знакомства с миром высоких технологий. Я расскажу о том, какой будет жизнь «цифрового поколения» — поколения моего ребенка, — и о том, какие опасности ждут родителей, дети которых растут онлайн, пока каждый момент их жизни снимается на видео или документируется. А еще я объясню, как использовать технологии во всех важных для нас сферах.

Глава 3
ВСЁ СЛОЖНО

Поздней осенью 2012 года я много думала о роли технологий в современной жизни: об этикете, межличностных взаимоотношениях, самоидентификации и тяге к коллективизму. Как уже упоминалось в предыдущей главе, я только-только завершила свой годичный тур и пребывала под впечатлением от обрушившегося на меня града вопросов о влиянии техники на нашу жизнь — вопросов о детях, семье и карьере, одинаковых в каждом посещенном мною городе.

В то же самое время мы с Брэдли Лотенбахом (моим соратником по совместному проекту с «Эй-Би-Си ньюс», а теперь еще и партнером в «Цукерберг Медиа») и Джеффом Пайком (нашим финансовым директором) закончили строительство собственной телестудии площадью более тысячи квадратных метров в Менло-Парке в штате Калифорния. И все наши мысли были заняты проектами будущих передач.

Как-то раз мы обсуждали с одной дамой использование технологий в рабочем пространстве, и вдруг она разрыдалась. Она призналась, что вот-вот потеряет работу из-за того, что руководство собирается взять на ее место более технически подкованного человека. Дама просила совета, с чего лучше начать изучение технических новинок.

Я была поражена в самое сердце. В этом человеке, несчастном и потерявшем уверенность в своем будущем, воплотились для меня миллионы других — тех, кто чувствовал то же самое. Роль техники заключается вовсе не в запугивании людей, не в усложнении их жизни — наоборот. Техника должна совершенствовать мир, делать его проще и доступнее — нужно только однажды в ней разобраться. Я отчаянно хотела объяснить это и развеять людские страхи, а потому тут же начала думать, как использовать для этой цели нашу студию.

Мы с Брэдли оказались во власти новой мечты. Поскольку Брэдли теперь продюсировал программу «Доброе утро, Америка» на «Эй-Би-Си», он прекрасно разбирался во всех тонкостях утренних телепередач и умел сделать контент информативным, интересным и востребованным.

Мы понимали, что за пределами узкого технологичного мирка люди не причисляют себя к «технарям» или «гикам». Если спросить женщину, о чем бы она хотела прочесть в журнале или блоге, мало кто скажет, что хочет побольше узнать о технических новинках. И тем не менее эти же самые женщины удивительно часто кликают на подобного рода статьи. Мы заметили, что на самом деле большинство людей технически гораздо подкованнее, чем они сами полагают, и такая информация помогает им лучше адаптироваться к современной жизни.

Техника стала неотъемлемой частью нашей жизни, изменилась и сама жизнь.

Мы заметили, что люди одновременно и восхищались техническими новинками, и впадали в ступор при виде них. Они с радостью пользовались определенными приложениями, но понятия не имели, как уследить за своим ребенком в Сети или поговорить с ним о современных новомодных «штучках». Те, кто умел посылать текстовые сообщения, порой не могли вовремя остановиться и продолжали писать даже тогда, когда это становилось неуместным и неудобным. Людям нравилось выставлять свои фотографии, но не все понимали, как ограничить к ним доступ. С каждым днем и каждым новым изобретением и без того непростая ситуация лишь усложнялась.

И тогда я поняла, что нужно делать. Мне хотелось показать людям, какой простой и удобной может стать жизнь благодаря технике, если использовать ее с умом. Мы решили запустить сайт «Точка сложности», девизом которого стала фраза «распутывая яркий клубок наших жизней».

Больше всего меня волновал человеческий фактор. Я изучала психологию в Гарварде и в «Фейсбуке» считалась признанным чемпионом по угадыванию психотипов людей «по ту сторону монитора». Шесть лет я работала с людьми, решая проблемные вопросы как технологического, так и личного характера. Когда понадобилось навести мосты между обычной и технологичной жизнью, я стала лицом «Фейсбука» в СМИ.

Наверное, «Точка сложности» в какой-то мере всегда была частью меня. Я вдруг почувствовала внутреннее обновление, необычайный душевный подъем. Казалось, все, чем я занималась в «Фейсбуке», все успешные и провальные проекты появились в моей жизни не зря. Пришло время воспользоваться накопленным опытом и идти вперед.

С этими мыслями мы с Брэдли расстались на новогодние каникулы, чтобы вернуться к своим планам уже в новом году.

Удачливые люди умеют замечать знаки судьбы, даже если это всего лишь монотонный ропот толпы или публичные подколы СМИ в твой адрес.

В конце концов...

Успешная женщина — это та, которая умеет выстроить прочный фундамент из кирпичей, летящих ей в голову.
Слегка измененная цитата Дэвида Бринкли

Моя семья съехалась на рождественский обед 2012 года. Сестра Донна готовила что-то восхитительное — должно быть, утку по-пекински (есть на Рождество китайскую еду — старая еврейская традиция). Члены нашей семьи обычно настолько заняты, что собраться вместе — задача не из простых. Но в тот удивительный год случилось так, что все решили остаться на каникулы в городе.

После чудесного обеда мой муж Брент повез нашего сына Ашера домой, чтобы уложить его в постель, а я осталась помогать с уборкой. Все столпились на кухне. Кто-то мыл посуду, кто-то пил кофе. Марк показывал последнее приложение «Фейсбука», которое запустили лишь неделей ранее. С помощью этого приложения можно было отправлять сообщения, исчезавшие через десять секунд.

Сообщение самоликвидируется через десять, девять, восемь...

Последний раз я так веселилась еще в университетские годы. Неудивительно, что «эфемерные сообщения» были столь популярны у студентов и школьников.

Все тут же загрузили себе новое приложение, чтобы опробовать его лично. Оглядевшись вокруг, я вдруг подумала, как же забавно, что мы стоим здесь, на кухне, и, вместо того чтобы просто поговорить, шлем друг другу текстовые сообщения.

— Скажите сы-ы-ыр! — крикнула я, включая камеру. — Представьте, что всем вам прислали неприличные сообщения!

Все изобразили на лицах выражение притворного ужаса, и я щелкнула кнопкой.

Я не часто загружаю семейные фото в Интернет, поскольку считаю, что личную жизнь вовсе не обязательно выставлять напоказ. Но в тот раз фотография получилась просто чудесной. Так что я запостила ее на «Фейсбуке» (с ограниченным доступом, только для друзей) и отправилась укладывать сына в постель.

Естественно, я догадывалась, что фото могут украсть. Именно поэтому я никогда не выставляла в онлайн того, что стыдно было бы увидеть на первой полосе газет. А это фото было почти сакральным: члены «Фейсбук-семейки» пользуются «Фейсбуком», и все это загружено на «Фейсбук».

Хотя мне всегда казалось, что Рождество — это время, когда надо наслаждаться общением с близкими людьми, а не кидаться к компьютеру со словами: «О боже! Это ведь Марк Цукерберг с семьей! Я должен срочно утащить это фото в свой блог!»

Я тогда понятия не имела, что уготовила мне судьба.

Спустя час я наконец уложила сына спать, а затем устроилась в гостиной с чашкой горячего яблочного сидра. Отход ко сну все откладывался — я болтала в Сети. Я мимоходом заглянула в «Твиттер», а спустя секунду сделала это еще раз. Наше семейное фото уже перепостили. Это означало, что кто-то из моих друзей скачал снимок, сохранил его у себя на телефоне или компьютере, а потом загрузил на другой сайт. Поскольку на дворе была глубокая ночь, такое поведение вызвало во мне бурю эмоций. И я накатала возмущенный комментарий.

А потом отправилась спать.

Следующее утро началось так, будто разразился национальный скандал. В моем электронном почтовом ящике висела куча сообщений, на телефоне оказалось несколько пропущенных звонков от Брэдли, и это не говоря о тысячах комментариев в «Твиттере». Фотография нашей семьи красовалась во всех новостях, а мой твит стал предметом живого обсуждения. Было видно, что люди искренне рады позлорадствовать над Цукербергами и всем, что касалось «Фейсбука» и нашей частной жизни.

М-да.

— Рэнди, — рявкнул на меня Брэдли, едва только я перезвонила. — «Доброе утро, Америка» уже трижды спросили меня, не желаешь ли ты дать комментарии к своему высказыванию относительно частной жизни и этикета. Ах да, мои поздравления! Следующие три дня СМИ будет чем заняться, новостей сейчас не так уж много.

А потом я погрузилась в море флуда. Друзья выражали сочувствие, продюсеры с телеканалов предлагали дать интервью, анонимные пользователи поливали меня грязью в «Твиттере», Брэдли ругался, что не может покинуть меня даже на три дня, чтобы я не устроила какой-нибудь скандал...

Но сама я думала лишь о том, какой «точкой сложности» стала для меня вся эта ситуация.

СМИ гудели заголовками «Сестру Цукерберга подвели настройки приватности "Фейсбука"», хотя суть была вовсе не в этом. С настройками приватности все было предельно ясно. Проблема же возникла из-за несоблюдения норм онлайн-этикета — или даже из-за их отсутствия.

По иронии судьбы продажи нового приложения к «Фейсбуку» в следующие несколько дней взлетели до небес. (Мастерство не пропьешь — рекламные кампании мне по-прежнему удавались на отлично!)

Однако важнее, что инцидент заставил меня с утроенной силой взяться за обсуждение нашей новой, цифровой жизни. Я сама была живым примером как плюсов, так и минусов технологического прогресса. И я понимала, что миллионы людей пребывали в такой же ситуации.

И очертя голову я бросилась в бой. В «Сегодняшнем шоу» появилась моя рубрика «Современные технологические дилеммы». Меня процитировали на первой полосе «Нью-Йорк таймс» в статье о новых нормах онлайн-этикета. Я организовала электронную рассылку с уже знакомым названием «Точка сложности», в которую включались статьи о том, как технологии могут помочь в карьере, любви и семейной жизни, во взаимоотношениях с людьми и так далее.

А еще я начала писать эту книгу.

Чтобы объяснить, почему я считаю, что индивидуализация, гуманизм и этикет столь важны для жизни и прогресса, необходимо обратиться к истокам.

Известный фантаст Артур Кларк однажды сказал: «**Любая достаточно развитая технология неотличима от магии**». Он был прав. Новейшие технологии подобны магии, и сегодня нам подвластно то, о чем несколько лет назад мы и подумать не могли. Точно по мановению волшебной палочки, каждая инновационная технология продвигает общество на шаг вперед и открывает перед ним новые возможности. Естественно, соблазнительный блеск волшебных устройств способен ослеплять и даже представлять опасность.

Мой путь начался с волшебного городка Доббс Ферри в штате Нью-Йорк.

Тогда носили аляповатые футболки и свободные шорты, так популярные в начале 1990-х. Мне в то время было лет девять-десять. Однажды по возвращении из школы отец пригласил меня к себе в стоматологический кабинет, который находился на первом этаже нашего дома.

— У меня для тебя сюрприз, — сказал он.

«Только не пломба», — подумала я.

Спустившись вниз, я обнаружила огромную коричневую коробку. Она стояла на маленькой тележке у стены. Сбоку мигали огоньки.

Мне стало интересно. Что же это могло быть?

Папа доходчиво все объяснил:

— Мы теперь можем взять твою фотографию, загрузить ее в машину, а потом взять чье-то чужое фото и поменять местами ваши улыбки. Так что теперь мои клиенты всегда смогут посмотреть, подойдет ли им та улыбка, которую они хотят.

Я была в таком восторге, что сразу же заставила отца показать, как работает аппарат. Мы отсканировали мою и мамину фотографии и поменяли наши улыбки местами.

Конечно, в тот момент у меня не было возможности поделиться этим снимком с тысячами людей, как делается теперь. Папа напечатал копию, я принесла ее в школу и показала друзьям. А потом спрятала фотографию в коробку из-под обуви, задвинула ее под кровать и забыла о ней. Если бы в тот момент я могла поделиться снимком с тысячами людей, сделала ли бы я это? Захотела бы так поступить? К счастью, тогда все было гораздо проще. Да и с чужой улыбкой я выглядела довольно глупо.

Машина поразила мое воображение. Я выискивала способы провести в отцовский кабинет друзей, и мы с упоением играли в «обмен улыбками». Иногда папа застукивал нас за этим делом, и тогда меня ждал серьезный нагоняй. Но кто откажется от шанса прикоснуться к магии?

В седьмом классе у меня появился первый телефон. Мобильники в то время были не слишком распространены, и большинство людей общалось с помощью проводных устройств. Вообще-то телефон был не совсем моим. Днем им пользовался отец. Но как только рабочее время заканчивалось, телефон переходил в мое полное распоряжение.

Теперь каждый вечер и все выходные я часами болтала с друзьями. Мы успевали обсудить все важные темы: мальчишек, фильмы, «Нирвану» и «Эйс оф Бэйс». Иногда приходилось разговаривать с папиными клиентами, но это было не так интересно.

В тот же период состоялось мое знакомство с Интернетом. Компьютеры в нашей семье появились уже давно. Сколько себя помню, в офисе отца стояли две махины фирмы «Атари», выпущенные еще в семидесятых, и персональный компьютер «Ай Би Эм», купленный в год моего рождения. К ним я даже ни разу не прикоснулась. Отец хранил в них информацию о пациентах, вел электронную переписку и занимался другой серьезной работой с их помощью. Но в середине девяностых родители купили компьютер специально для детей.

Тот первый компьютер был большим и медленным, а использовать его было непросто. К Интернету он подсоединялся со скрипом и грохотом, и каждый раз, когда кто-то поднимал телефонную трубку, соединение прерывалось. Но первое посещение «Америки онлайн»[1], первое отосланное электронное письмо, знакомство с онлайн-энциклопедией Гролиера и возможность посылать мгновенные сообщения друзьям разом перевернули мою жизнь.

В выпускном классе школы у меня появился первый сотовый телефон. Огромная, громоздкая

---

[1] «Америка онлайн» (сокр. AOL) — сетевая информационная коммерческая система в США.

«Нокиа 5110» в зеленом корпусе. Внешне и по ощущениям она напоминала кирпич, из-за чего и получила соответствующее прозвище. Но сотовый тоже открыл передо мной новые впечатляющие возможности. Впервые в жизни я могла связаться с человеком, физически пребывавшим вне зоны моего доступа. Больше не нужно было по двадцать минут торчать у восточного входа в торговый центр только потому, что друг в это время стоял у западного.

Если вы пропустили время становления сети Интернет, можете считать себя настоящим счастливчиком. Возможно, ваш первый телефон был смартфоном. И вы не играли часами в «Змейку» на малюсеньком черно-белом экране. Что ж, все эти моменты — часть общей истории. Технологии с каждым днем становятся все более доступными.

Когда-то считалось круто иметь собственный телефонный аппарат и выделенную линию связи. Теперь пять миллиардов людей во всем мире общаются при помощи мобильных телефонов, и примерно миллиард из этих устройств имеет доступ к Интернету, электронной почте и куче других прекрасных современных приложений. Десять лет назад подключение к Интернету казалось чем-то фантастически инновационным. Теперь же каждый день онлайн выходят 2,4 миллиарда пользователей. И их количество продолжает стремительно расти.

Устройства становились все быстрее, дешевле и мощнее. Такой скорости никто не ожидал. Любой обитатель Кремниевой долины знаком с законом

Мура. В далеком 1965 году Гордон Мур, основатель компании «Интел», предсказал, что микрочипы будут становиться вдвое мощнее каждые полтора года[1]. Прогноз оказался верен. Но, хотя мощность компьютеров с каждым годом лишь возрастает, стоимость их неуклонно падает.

Все это следствие повышения спроса. В последнее десятилетие люди активно использовали компьютеры, смартфоны и планшеты. Компьютерные технологии завоевывали все новые и новые сферы жизни. Закон Мура привел к тому, что миллиарды людей начали пользоваться мобильными телефонами и Интернетом, и сегодня любой мобильник в тысячу раз мощнее компьютера, который доставил людей на Луну.

С каждым годом люди все больше общаются в Сети. Несколько лет назад один человек даже назвал технологический тренд нашей фамилией. «Закон Цукерберга», получивший свое имя в честь моего замечательного брата, гласит, что количество информации, которой мы делимся с миром, удваивается каждые два года. Пока вы читаете одну страницу этой книги, во Всемирную паутину загружа-

---

[1] Существует версия, что Гордон Мур заявил, будто количество транзисторов, размещаемых на кристалле интегральной схемы, удваивается каждые два года. А часто цитируемый интервал в полтора года связан с прогнозом Давида Хауса из «Интел», по мнению которого производительность процессоров должна удваиваться каждые полтора года из-за сочетания роста количества транзисторов и быстродействия каждого из них.

ются сотни часов видео с котами или забавными собаками-скейтбордистами в качестве главных героев и куча другого, так сказать, бесценного контента. За это же время люди публикуют более миллиона сообщений в «Твиттере». И некоторые из них даже кто-то читает. На «Фейсбук» выкладывается более шестнадцати миллионов постов. А это целая куча фотографий еды!

Конечно, есть и границы. В какой-то момент люди перестанут справляться с таким наплывом информации — мы не можем посмотреть все видеоролики с уморительными котами и милые детские фотографии. Думаю, идею вы уловили. Часто контролировать лавину информации оказывается нам не по силам. Но вот что впечатляет: согласно отчету о состоянии «цифровой вселенной», опубликованному в 2012 году аналитической компанией «Ай-Ди-Си», элементов цифрового контента на сегодняшний день в мире больше, чем песчинок на всех пляжах Земли. Ого!

И прогресс не стоит на месте.

К Сети подключен весь мир. Вы можете выйти в Интернет из любой точки планеты. Например, с вершины Эвереста. Или с Международной космической станции. Многие астронавты публиковали онлайн сумасшедшие фото с орбиты Земли. Уж эти виды точно заслуживали того, чтобы запечатлеть их.

Итак, менее чем через сорок лет после первых разговоров о глобализации, мы достигли глобализации в сфере общения. И наши требования к средствам связи только возрастают.

Помню, в детстве каждые несколько минут в Сети считались за счастье. А если уж нам с друзьями удавалось минут тридцать поболтать в «Эй Ай Эм» (служба обмена мгновенными сообщениями в «Америке онлайн»), пока кто-нибудь из моей семьи не перехватывал телефонную трубку, радости нашей не было предела. А затем я слезно умоляла родных срочно повесить трубку обратно.

Теперь мы стараемся вообще не выходить из Сети, быть в доступе в любое время и в любом месте. Так оно обычно и получается. Из отчета «Морган Стенли» об интернет-тенденциях видно, что 90% людей круглосуточно держат мобильники на расстоянии трех шагов. В мае 2012 года исследование «Харрис», проведенное в Соединенных Штатах, показало, что 53% людей регулярно проверяют мобильные телефоны посреди ночи, уже после того, как легли спать. И пугающе огромное количество людей проверяет телефон в туалете. (Не думаю, что кто-то моет после этого телефонный аппарат. Подумайте об этом, когда в следующий раз кто-то протянет вам свой мобильный и попросит сделать фото. С удовольствием!)

Это вечное стремление быть онлайн развращает все стороны нашей жизни. В двух различных исследованиях 2012 года, одно из которых провела компания «Яху!», а второе — «Газель», мы натыкаемся на одни и те же цифры:

25 процентов женщин готовы на год отказаться от сексуальной жизни ради того, чтобы сохранить свой планшет.

15 процентов всех опрошенных респондентов готовы проститься с автомобилем, но не с планшетом.

Около 15 процентов всех респондентов заявили, что готовы полностью отказаться от секса, лишь бы только не проводить один уик-энд без своего айфона.

Служба опросов «Теленав» решила выяснить, от каких «маленьких удовольствий» люди могли бы отказаться на неделю, чтобы не расставаться со своим телефоном.

70 процентов отказались бы от алкоголя.

21 процент отказался бы от обуви.

28 процентов пользователей продукции компании «Эппл» отказались бы от встреч с близкими; с ними согласны 23 процента тех, кто пользуется «Андроидом».

Недавнее исследование «Центра правды Макканн» показало, что 49 процентов замужних мам сперва отказались бы от обручального кольца и лишь затем — от мобильного телефона. А исследование 2012 года от «Харрис Интерактив» выявило, что 40 процентов людей предпочли бы провести ночь за решеткой, чем отказаться от своих аккаунтов в соцсетях.

И в этом мире мы живем. Технологии заполняют практически все сферы жизни и уже начинают контролировать ее. В результате появляются люди, которые пытаются ослабить этот контроль. Они создают правила, структурируют и дисциплинируют личную и семейную жизни. Эти люди хотят быть уверены, что стремление к коннективизации не испортит их отношений и стиля общения и не встанет на пути их личностного развития.

Найти этот баланс становится делом чрезвычайной важности, ведь в следующем десятилетии мы можем столкнуться с чем-то еще более экстраординарным. Представьте, что каждый человек, каждый предмет окажется подключен к Сети. И сотрется граница между реальной жизнью и виртуальной.

За каждым конкретным человеком мы будем видеть предметы, окружение, дом, одежду и машину в их электронном эквиваленте. Одно из наиболее популярных предсказаний Кремниевой долины гласит, что будущее станет «Интернетом вещей» — миром, где на связи окажутся все устройства, кухонные принадлежности и даже обувь. У нас есть все шансы посмотреть, воплотится ли это в реальность. По данным «Сиско», в апреле 2011 года в мире насчитывалось около десяти—пятнадцати миллиардов коммуникативных устройств, но к 2020 году ожидается, что их количество возрастет до пятидесяти миллиардов.

Несколько месяцев назад мне довелось пережить чудесное, милое и в то же время пугающее мгновение. Мой сын Ашер случайно показал мне наше будущее. Ашер полюбил детскую передачу про фиолетового динозавра «Барни и друзья». Он обожает петь и танцевать вместе с героями и смотрел бы программу часами, если бы я ему позволяла. Однажды днем я работала на ноутбуке, пока Ашер забавлялся с игрушками, болтающимися на дуге. Потом он немного заскучал, и краем глаза я заметила, что он разглядывает фотографию на книжной полке. Это было фото моих родителей.

— Что такое, солнышко? — удивленно спросила я.

Он протянул руку к снимку. Некоторое время я не могла понять, что он хочет мне показать. А потом до меня дошло. Ашер заметил, что изображение всегда исходит с различных экранов. По телевизору ему показывали «Барни». На моем айпаде он тоже мог смотреть «Барни». А значит, и фоторамка обязана была показывать его любимого героя.

Я рассмеялась. Ашер выглядел огорченным.

Но потом я подумала: «А ведь он прав. Почему он не может смотреть "Барни" с фоторамки? Если уж на то пошло, почему любое устройство не выдает весь объем информации, который нам нужен?» Однажды его желание должно исполниться. Наивная детская логика вдруг показала мне, каким станет наше будущее. Каждый кусочек стекла обратится экраном, а экран — порталом в мир информации, идей и развлечений. На фиолетового динозавра можно будет смотреть при помощи любой рамки.

Как и всякая новоиспеченная мамаша, я испытала восторг и ужас одновременно. Как непросто бывает сбалансировать время «у экрана» и время «вдали от экрана»! Каким же будет мир, когда такого выбора уже не останется?

Будущее сулит безграничные возможности. Никому больше не понадобится тайком пробираться в кабинет отца, чтобы прикоснуться к магии. Однако по мере разрастания Всемирной сети всем нам предстоит научиться вовремя отходить в сторону, чтобы сконцентрироваться на близких и происходящем вокруг. Мир с кучей экранов манит нас неограниченным доступом к информации. Но тот, кто не способен хоть иногда отрываться от монитора, рискует потерять дорогих сердцу людей.

Не исключено, что в будущем волшебством станут называть моменты погружения в реальность, возможность забыть о мешающих связях. Лучше этой магии и не придумаешь.

Итак, хорошая новость состоит в том, что все мы на связи.

Ну а плохая — также в том, что все мы на связи. Технологии покоряют все новые стороны нашей жизни, от любовных и семейных отношений до карьерных устремлений. Мы иначе празднуем дни рождения и сообщаем о важных новостях, иначе понимаем дружбу и выставляем требования к сфере услуг.

С помощью смартфонов и встроенных камер друзья и члены семьи могут без промедления фиксировать важные моменты и делиться ими. В июне 2011 года «Кафедральный центр исследований» провел опрос среди двух тысяч взрослых американцев и выяснил, что «Фейсбук» позволяет людям ближе общаться с лучшими друзьями, получать советы и поддержку и даже возобновлять «дремлющие связи» — к примеру, переписываться с давно забытыми школьными или студенческими товарищами или с приятелями, живущими очень далеко.

Дедушки и бабушки могут увидеть лицо новорожденного внука, который находится в тысячах миль от них, с помощью обыкновенной веб-камеры и видеозвонка. А обзор, опубликованный в 2012 году доктором Шейлой Коттен из Университета Алабамы в Бирмингеме, показал, что пенсионеры, которые пользуются Интернетом, на 30% менее подвержены депрессии, чем те, кто им не интересуется.

Коллеги теперь могут совещаться в Сети, находясь при этом на разных концах света, — труднодоступных уголков в мире почти не осталось.

Друзья легко фотографируют веселые моменты вечеринки и тут же корректируют фото в профессиональных программах, добавляя нужные рамки, фильтры и узоры.

Простота коммуникаций приводит к тому, что в день рождения человек рискует получить поздравление в «Фейсбуке» вместо телефонного звонка. Или начать переписываться по электронной почте с коллегой, который сидит за соседним столом. А на вечеринке друзья, вполне возможно, будут настолько заняты собственными фотографиями, что едва ли обратят внимание на что-то еще. Тот, кто ходит, уткнувшись в телефон, рискует пропустить все самые важные в жизни моменты.

Сегодня каждый из нас — корреспондент и слушатель в одном лице. В прошлом люди пассивно принимали информацию. Создание контента было уделом персон богатых и влиятельных — тех, кто владел медиакомпаниями. Теперь каждый из нас при желании может поделиться своими мыслями и мечтами.

Когда я писала для школьной газеты, у нас был штат из двадцати учеников, которым приходилось усердно работать, чтобы обеспечить тираж в одну тысячу экземпляров. Теперь тысяча просмотров — вполне реальная цифра для ничем не примечательного сообщения в «Твиттере», нового фото или статуса в «Фейсбуке».

Теперь каждый из нас сам себе медиакомпания. Технологии позволяют высказать и популяризировать свое мнение. А когда люди образуют группы, присоединяя свой голос к хору других голосов, происходят поистине впечатляющие вещи. В 2008 году безработный двадцатиоднолетний инженер из Колумбии Оскар Моралес создал на «Фейсбуке» страничку, посвященную движению сопротивления ФАРК[1] — колумбийской террористической группировке. Члены ФАРК похищали людей, закладывали бомбы и терроризировали невинных людей годами. Однажды вечером, сидя у компьютера, Оскар увидел новость об очередной атаке. Под впечатлением от прочитанного он создал страничку, которую назвал «Один миллион голосов против ФАРК!».

Отклик оказался ошеломляющим. А потом случилось нечто невообразимое. За четыре часа на страничке зарегистрировались полторы тысячи людей. На следующий день к ним присоединились еще четыре тысячи. К концу недели количество сторонников движения достигло ста тысяч.

Изумленный неожиданным успехом онлайн-движения, Оскар сделал то, чего сам от себя не ожидал. Он провозгласил общенациональный день протеста против деятельности ФАРК.

Спустя месяц состоялся марш протеста, в котором приняли участие две сотни городов и двенадцать миллионов людей. Этот марш стал самой большой демонстрацией против терроризма за всю историю. И в конце концов его политическое влияние оказалось настолько сильным, что подтолкнуло колумбийское правительство и мятежников к возобновлению мирных переговоров.

Поступок Оскара был необычайно отважным, но не единственным в своем роде. Сегодня по все-

---

[1] ФАРК (Революционные вооруженные силы Колумбии) — леворадикальная повстанческая группировка Колумбии.

му миру в кофейнях и на задворках, в студенческих общежитиях и на площадях городов другие храбрые люди используют технологии, чтобы изменить мир. В руках молодых идеалистов «Гугл», «Фейсбук» и «Твиттер» приобретают новое значение. Из кучки веселых приложений и пары адресов в Интернете они превращаются в средство, с помощью которого можно изменить мир. И проложить путь к свободе.

Подобные примеры мы видели в Египте и Тунисе во время Арабской весны[1], когда огромное количество молодых активистов по всему Среднему Востоку и Северной Африке высыпало на улицы в борьбе за социальную и политическую свободу. Подобное до сих пор происходит в России, Китае, Иране и ряде других стран.

Но изменения касаются не только политики. Интернет способствует появлению новых рабочих мест и формирует экономику. Хотя мировая экономическая ситуация по-прежнему хрупка, Всемирная сеть предоставляет средства для ее развития, новые вакансии и возможности. Недавно появившиеся и уже заслуженные веб-компании используют Интернет в качестве полигона для развития бизнеса. В 2011 году результаты исследования «Глобального института Маккинзи» о значении Интернета показали, что на каждое рабочее место, не связанное с Сетью, приходится два, появившихся

---

[1] Арабская весна — волна демонстраций и путчей в арабском мире, начавшихся 18 декабря 2010 года.

благодаря ей. И эта цифра неуклонно растет, ведь все больше людей и компаний выходят в онлайн.

Выгоды коннективизации не ограничились одним лишь развитием экономики. Согласно отчету Всемирного банка, в 2012 году индийские фермеры, выращивающие картофель, увеличили свой доход на 19% благодаря использованию мобильных приложений. А производители бананов из Уганды — на 36%.

Когда случается беда или катастрофа, Интернет может спасти жизнь, вызвать помощь, воссоединить влюбленных и поддержать наиболее уязвимых членов общества. Когда в 2011 году в Японии произошло землетрясение, сотни тысяч людей воспользовались «Фейсбуком», «Твиттером» и «Гуглом», чтобы разыскать пропавших друзей и родных, а гигантские пожертвования, сделанные онлайн, пошли на организацию рабочих групп.

При помощи Интернета информация путешествует быстрее и дальше, чем когда бы то ни было. Позитивная информация распространяется стремительнее. К примеру, если мне понравился ресторан, я всегда могу порекомендовать его друзьям. Довольно быстро перемещается и негативная информация. Как только со мной случается неприятность, об этом тут же узнают мои знакомые. С другой стороны, для развития собственного бизнеса в Сети нужно прикладывать двойные усилия. Мир, где каждый человек сам себе медиакомпания, не прощает ошибок.

Как-то раз я огорошила голливудского продюсера, заявив: "Фейсбук" лишил нас возможности выпускать плохие фильмы. Хотя снимать их все равно придется, просто ради того, чтобы удержаться на плаву в бизнесе». Раньше плохой фильм мог пользоваться успехом целый уик-энд, ведь для формирования общественного мнения требовалось несколько дней. Однако теперь в «Фейсбуке» и «Твиттере» люди могут высказать все, что думают о кино, уже через несколько часов после того, как оно вышло в прокат.

Конечно, кричать об этом на всех углах не имеет смысла. Если постоянно твердить «Осторожно, волки!», тебе перестанут верить. Нужно время, чтобы общество оценило преимущества и выгоды такого подарка. Используя его с умом, мы сможем обеспечить доступ к знаниям, уничтожить старые барьеры недопонимания и дать право на голос тем, кто прежде оставался бесправен.

В последующие десять лет в Сеть выйдут еще три миллиарда людей. И в основном это будут подключения через мобильный телефон. На смену многим предметам (например, записанным от руки рецептам, грудам квитанций в ящиках стола и печатным фотографиям) придут их цифровые эквиваленты. Открытие дверей, регулировка звонков и освещения, поддержка нужной температуры и фиксация замков будут осуществляться одним нажатием кнопки. Машины превратятся в «умных перевозчиков», управляемых автопилотом. А «умная одежда» и медицинские приборы позволят регулировать состояние здоровья. Наши взгляды на доступ к информации, воспитание детей и имущественные вопросы меняются с шокирующей быстротой.

Еще недавно все это называли научной фантастикой. Теперь это научный факт.

точка **Я**

Я и самоидентификация

Притворяться — отвратительно. Приходится подстраиваться, менять свое поведение в зависимости от случая. Окружающие порой советуют пересмотреть собственные взгляды, пожертвовать идеями ради успеха, подыграть ситуации. Но чем дольше притворяешься, тем быстрее забываешь, какой ты на самом деле.

Быть искренним вовсе не обязательно значит пользоваться всеобщей популярностью или дружить со всеми и каждым. Однако мне всегда было проще спать по ночам, если днем я себя не обманывала.

К счастью, люди начали постепенно адаптироваться к Интернету. Все чаще мы замечаем, что вместо выдуманных ников пользователи предпочитают использовать свои реальные имена и данные. Этот переворот в сознании стал важной вехой в истории развития инновационных технологий.

Можете вспомнить свой самый первый дурацкий электронный адрес или свой ник в чате? Я могу. Меня звали Peggy42st. Тогда я как раз играла роль Пегги в школьной постановке мюзикла «42-я улица».

Помню, как вскоре после моего поступления в Гарвард мама решила провести со мной разъяснительную беседу. Она попыталась вбить мне в голову, что нормальные люди ведут себя скромно, не выставляют себя напоказ и не придумывают себе дурацких имен. Как раз после этого разговора один из моих будущих одногруппников нашел меня в «Америке онлайн». Знаете, какой у него был ник? Ни больше ни меньше — igot1600.

Вот и опровержение маминой теории.

Помните, как подбирали веселенькие картинки к профайлу или утаскивали полюбившиеся цитаты? Признаюсь, я не раз испытывала слабость к непонятным, но якобы полным глубинного смысла строкам. Обычно это были отрывки из песен. Бесчетное количество раз в моем статусе появлялись фразы «Я верю, что могу летать», «Я вижу знак» или «Я разбита на осколки».

Пожалуй, стоит уточнить. Может, в это трудно поверить, но в действительности я вовсе не была Пегги с 42-й улицы. Я была Рэнди из Доббс Ферри. Я могла называть себя Пегги в Интернете, но в жизни ею не являлась. Хотя на заре появления социальных сетей это не имело никакого значения. Мои друзья прекрасно понимали, что Пегги — это Рэнди, и не переживали по этому поводу.

Зато сейчас профайл Peggy или igot1600 в «Фейсбуке» выглядел бы настоящей дикостью. И причина даже не в том, что я выросла, — вырос и сам Интернет.

Раньше, когда Интернет использовался в основном для поиска необходимой информации, мы вбивали в поисковую строку ключевые фразы, а потом ждали, когда выпадут последние новости, сплетни о знаменитостях, обзоры фильмов, карты или школьные работы. Поисковики предлагали нам возможность получить ответы на вопросы одним-единственным нажатием кнопки.

За последнее десятилетие Интернет из глобального поисковика превратился в средство общения множества людей. И каждый может почерпнуть из паутины мирового сознания нечто важное. Теперь информацию можно получить не от машины, а от живых людей.

Помню, как однажды во время перелета из Сан-Франциско в Нью-Йорк мой друг пытался убедить меня сменить доменное имя в «Твиттере» с @randijayne на @randizuckerberg.

«Тогда люди смогут тебя найти», — говорил он.

Используя реальные имена и данные в Сети, мы легко отыскиваем друзей, родных и коллег, как бы далеко они ни находились. Мы можем контактировать с потенциальными работодателями, корректировать резюме и карьерную историю, получать интересные предложения и увеличивать доходы. Из случайных посетителей веб-сайтов люди превращаются в активных участников процесса, что несет выгоду как веб-сайтам, так и самим пользователям. Сайты становятся все более персонализированными, интересными и полезными. Умелые маркетинговые кампании учитывают интересы и вкусы пользователей, предоставляя нам возможность приобретать все самое нужное. Или просто дают нам шанс подурачиться.

Меня часто спрашивают, как «Фейсбуку» удалось так быстро завоевать всеобщую популярность. Конечно, главную роль в этом сыграли достоинства самого сайта и контента, который он предоставлял, но немаловажным фактором оказалось и то, что пользователи «Фейсбука» использовали свои реальные имена.

Это было одним из негласных правил с самого начала. В отличие от других социальных сетей, таких как «Май Спейс» или «Френдстер», на «Фейсбуке» люди не боялись указывать настоящие имена и фамилии. Залогом безопасности стало использование в качестве логинов почтовых ящиков с доменом .edu[1]. Таким образом пользователи могли быть уверены в том, что на сайте их найдут только одноклассники, сокурсники или приятели по институтскому общежитию. Благодаря высокому уровню доверия общение на «Фейсбуке» приобрело большую ценность, а разговоры стали более личными, чем на других сайтах. Поэтому люди старались говорить правду и вести себя более разумно. Лгать

---

[1] .edu — доменное имя верхнего уровня, которое используется для аккредитованных высших учебных заведений США.

или писать гадости стало просто невыгодно — ведь тебя могли сразу раскусить.

В Сети любой рассказ о личном становится своего рода новостью, вызывает отклик у аудитории. Рождение массовых движений, грандиозные социальные перевороты становятся возможны лишь тогда, когда отважные храбрецы собственным примером подталкивают к этому остальных. Реализация себя как личности — это гораздо больше, чем перепост понравившихся цитат и фотографий. Кто-то верит в идею, а кто-то находит в себе силы встать на пути танков.

В мире, где люди остаются самими собой и в реальной, и в виртуальной жизни, мы можем узнавать намного больше о знаменитостях, политиках и, конечно же, обо всех, с кем нам приходится сталкиваться каждый день.

Я всей душой верю в силу личности. Однажды я сказала, что анонимности нет места в Интернете. С ее исчезновением Всемирная паутина очистится, явив миру свои лучшие, наиболее полезные стороны. Интернет-травля станет невозможна. Очевидно (по крайней мере, для меня), что мало кто станет унижать других, используя свое реальное имя и фотографию.

Естественно, это не означает, что загадочные ники и многозначительные аватарки навсегда исчезнут из нашей жизни. В некоторых сообществах или на конкретных сайтах при обсуждении болезненных или тонких тем анонимность может быть необходима человеку для ощущения безопасности и защиты личного пространства. Активисты и участники протестных движений нуждаются в поддержании секретности. Обсуждение вопросов здоровья или общение с жертвами преступлений проще вести под выдуманными именами. Но все это — исключения из правила. В реальной жизни все мы пользуемся реальными именами. Так почему бы не ввести то же правило в Интернете?

В Сети наша личность проявляется особенно ярко, а значит, по поведению человека в Интернете можно многое понять и о том, каков он в реальной жизни. Каждое слово или действие сегодня приходится подтверждать документально. Говоришь, что где-то побывал, — выкладывай фотографию. Как говорится, «грузи фотку, а то не поверю».

В собственной жизни мы одновременно и артисты, и режиссеры. Наши интернет-личности становятся отражением реальности. В 2013 году исследователи из Кембриджского университета, проанализировав профайлы двадцати пяти тысяч американцев, с вероятностью в 95% смогли определить возраст и национальность пользователей, с вероятностью в 85% — их политические предпочтения, с вероятностью в 82% — является ли пользователь христианином или мусульманином, и с вероятностью в 60% — пережил ли пользователь развод родителей в возрасте до 21 года.

Именно сила личности заставила Флоренс Детлор, 101-летнюю бабушку из Менло-Парка, научиться пользоваться «Фейсбуком», чтобы быть в курсе жизненных перипетий своих внуков, семьи и друзей.

Сила личности сподвигла Аарона Дюранда — пользователя «Твиттера» из Портленда, что в штате Орегон, — спасти мамин книжный магазинчик от разорения. Когда он написал пост с просьбой о помощи и пообещал купить буррито каждому, кто купит книг как минимум на 50 долларов, на его послание откликнулись сотни людей. В итоге в магазинчик хлынула такая толпа покупателей, что бизнес матери Аарона остался на плаву.

Сила личности воссоединила Джоя Крисостомо, шестидесятивосьмилетнего жителя Нью-Йорка, с его давней подругой Вилмой Крацун. Джой познакомился с ней в Лондоне, где в 1970-х годах работал официантом. Через некоторое время он переехал в Бразилию, затем в Нью-Йорк, и связь оборвалась. Спустя сорок лет, в феврале 2011 года, Джою позвонил их общий знакомый: Вилма нашлась на «Фейсбуке». Они написали друг другу, потом вместе поехали в Париж, влюбились и в апреле 2012 года сыграли свадьбу.

Конечно, перемены входят в нашу жизнь с трудом. Использование реальных данных может стать проблемой для того, кто активно пользуется социальными сетями и банковскими сайтами, знакомится, ищет работу в Интернете и т. д. Появилась целая индустрия, которая помогает людям улучшать их репутацию в Сети и продвигать их сайты на верхние строчки поисковиков.

Тут-то и возникает проблема личного пространства. Хотя плюсы открытой онлайн-деятельности перевешивают минусы, люди тем не менее ощущают свою уязвимость. Однако, прежде чем пускаться в яростные споры, спросите себя, отчего вам на самом деле так неуютно. Есть ли в происходящем что-то действительно плохое или же дело в непривычности — в том, что вам тяжело принять грядущие изменения?

Больше всего я люблю приводить в пример ситуацию с определителем номера. Сначала люди восприняли в штыки его появление. Как можно, это ведь вторжение в личное пространство! Люди теперь будут знать, кто им звонит! Но сегодня никто и представить себе не может жизнь без него. Не знаю, как вы, но я, видя звонок с незнакомого номера, сразу же включаю голосовую почту. Определитель номера стал чистой выгодой. Частенько изменения получают популярность не сразу, но потом становится очевидным, что они приводят лишь к лучшему.

Так давайте же будем собой везде и всегда. Примерять маски весьма утомительно! Вести диалог при открытом общении куда проще.

Добро пожаловать в «серую зону»

Конечно, Интернет может не только значительно улучшить нашу жизнь, но и принести в нее множество проблем. Это касается всех передовых технологий. Порой они кажутся чем-то волшебным, но сами мы далеко не волшебники.

На заре появления «Фейсбука» практически весь сайт был скроен по образцу программы, использующейся в колледжах и университетах по всей стране. В профайле в качестве приложения можно было загрузить список своих занятий или озвучить планы на весенние каникулы. А еще в «Фейсбуке» того времени была «Стена» (ныне часть ленты событий) — белое поле, на котором одномоментно могло появляться лишь одно сообщение. Вместо рекламы «Фейсбук» тогда использовал «флаеры».

Однажды вечером я выполняла в «Пауэр пойнте» работу для маркетингового отдела. Мне нужно было увидеть, как флаер будет смотреться на «Фейсбуке», так сказать, вживую. Мы с коллегой быстренько смастерили фальшивую рекламку о вечеринке в женском клубе Стэнфорда, якобы намечавшейся на следующий день. (Название женского клуба было настоящим, коллега узнала его от знакомых.) Затем мы опубликовали флаер на «Фейсбуке». Когда презентация была готова, я захлопнула ноутбук и поплелась домой отдыхать. Ночь работы далась мне тяжело.

На следующее утро я проснулась с жуткой мыслью. Мы забыли убрать флаер.

«Вот черт!»
Естественно, пост мы немедленно ликвидировали, но было уже слишком поздно. Участницы клуба начали собираться десятками. Ко всему про-

чему, в колледже шла экзаменационная неделя, в течение которой запрещены любые собрания студенческих организаций. Случайный флэшмоб закончился только после того, как охранник заорал в громкоговоритель: «Вечеринки не будет. Вечеринки не будет!»

Участницы клуба после этого очень долго злились на «Фейсбук». В итоге мне пришлось разбираться с администрацией, чтобы организацию не расформировали. Один из наших программистов по доброте душевной предложил девицам провести пижамную вечеринку в офисе «Фейсбука» в качестве компенсации. Мне эта идея не слишком понравилась. И все же в конце концов мы пришли к взаимопониманию.

В тот день я получила несколько важных уроков. Во-первых, реклама на «Фейсбуке» работает. Это оказалось для меня настоящим откровением. До того момента я даже не подозревала, что какая-то онлайн-акция способна мобилизовать стольких людей в реальном мире. Один-единственный клик мышкой — а какие результаты! Потом я еще долго размышляла о том, как можно использовать подобные ходы в политике, при работе с некоммерческими организациями и в поп-культуре. В новой среде интернет-вещания любое сообщение могло иметь далеко идущие последствия.

Подмочить собственную репутацию действиями в Интернете проще простого. Достаточно, например, написать эмоциональный пост под влиянием момента, и он разлетится по Сети со скоростью света. Или выставить на обозрение интимное фото. Переслать человеку письмо, не проверив, что в самом низу длинной цепочки сообщений есть что-то, что видеть ему вовсе не стоит. По ошибке поделиться чужими новостями, о которых человек не хотел никому рассказывать.

Было время, когда, неправильно одевшись в школу, вы могли опасаться разве что осуждающих взглядов девчонок с соседней парты. Теперь соседняя парта — это весь Интернет.

Небольшое, но важное отличие между «частным» и «личным»

Раньше, до активного вмешательства Интернета в нашу жизнь, мы выделяли информацию публичного, частного и личного характера.

Публичная информация являлась своего рода фасадом. Ее можно было обсуждать с кем угодно или, например, поместить на первую полосу газеты.

Частной информацией делились с юристами, терапевтами, врачами, супругами; ее доверяли дневнику — или вообще никому.

Но была и третья категория — категория личной информации, — которая находилась между ними. В ней было множество нюансов. Личной информацией можно было поделиться с друзьями, но вы бы, скорее всего, задумались, стоит ли раскрывать ее незнакомцам.

Я регулярно размещаю свои фотографии на «Фейсбуке», ограничивая доступ кругом друзей. Кроме того, я просматриваю семейные и свадебные фотографии знакомых, а также их детей. Эти фотографии не являются частными. Ничья жизнь не будет разрушена, если эти милые, безобидные снимки попадут в прессу. И все же они носят личный характер. Предоставляя мне доступ к этой информации, друзья выказывают тем самым свое доверие.

Отличить публичную информацию от личной легко. Но когда речь заходит о частной информации — о тех вещах, которыми вы готовы поделиться с крайне небольшим количеством людей, — мы вступаем в «серую зону».

До появления Интернета эта «серая зона» также существовала, но выделялась гораздо меньше. Показывая снимки нового бикини друзьям, вы могли быть уверены, что ваша тетя и ее приятели, а также мифический парень, с которым вы начнете встречаться в старших классах школы, никогда их не увидят. И уж тем более никто не станет распространять компромат и как-то его комментировать. Друзья поймут особенности раскрытой им информации и не поделятся ею со всем миром. Сидя за столиком в кафетерии, вы лично держали руку на пульсе, следя за тем, чтобы новость не вышла за пределы дружеского круга.

Однако в Сети вы лишены подобной привилегии. Здесь есть публичное и частное, а вот границы личного практически стерлись.

Из-за этого возникают проблемы.

Я выучила этот урок, когда фотографии с моего девичника попали в широкий доступ (а не остались навсегда в Вегасе, как я надеялась). Снимки не были скандальными: просто мы с подругами в бассейне. Их содержание не слишком волновало меня в тот момент, когда я загружала фотографии на «Фейсбук». Зато потом, когда в одном из блогов Кремниевой долины обо мне завязалась неудобная дискуссия, мне стало чрезвычайно неловко.

Ситуация сложилась неприятная, но не катастрофическая. Все участницы вечеринки выглядели прилично — у нас просто был девичник. Конечно, я бы предпочла, чтобы фотографии не попадали в широкий доступ, но плакать по этому поводу не собиралась. Ничья жизнь или карьера не были разрушены. И я до сих пор не знаю, кто выложил фотоальбом в Сеть. Сотни моих друзей просмотрели снимки и поняли, что они явно личные. Но мораль истории в том, что достаточно одного человека, чтобы границы оказались нарушены.

Когда личная информация становится публичной, трудно понять, что с этим делать. Существует два пути решения проблемы. Кто-то просит убрать информацию из доступа. Но гораздо большее количество людей предпочтет сидеть тихо, надеясь, что информация не станет распространяться дальше. По их мнению, заявляя о конфиденциальности, вы лишь подливаете масла в огонь и раздуваете проблему. В Сети это называется «эффектом Стрейзанд» — по фамилии популярной певицы, которая как-то раз потребовала, чтобы фотографии ее дома убрали из Интернета.

Сложившаяся ситуация требует коррекции. Это вовсе не означает, что теперь посылать в мир можно лишь стерильную, адаптированную для широкой публики информацию. Стремление делиться личным — одно из важнейших человеческих качеств. Жизнь в Сети не менее насыщенна, чем жизнь в реальном мире. Более того, эти две жизни взаимосвязаны и часто перетекают друг в друга. А значит, мы должны отыскать способ вернуть сферу личного в интернет-пространство. Тогда каждый, кто разместит фотографии с вечеринки у бассейна, сможет быть уверен, что они не разлетятся по всему Интернету. Даже если у кого-то из друзей возникнет неконтролируемое желание поделиться ими.

Задумывались ли вы когда-нибудь, почему в фильмах о Диком Западе вооруженные до зубов люди всегда разговаривают друг с другом удивительно вежливо? Почему эти оборванцы, живущие бог знает где, так заботятся о правилах хорошего тона?

Думаю, режиссеры не зря уделяют столько внимания этому. Дело в том, что во времена, когда человек сталкивается с новой, враждебной средой, такая линия поведения становится своего рода гарантом безопасности и порядка. Интернет сегодня — именно такая незнакомая территория, а значит, пример наших отцов и учителей здесь как нельзя более актуален. Общество не зря выработало эти правила поведения — правила, которые мы называем этикетом.

Репости только то, что хотел бы видеть в репосте у остальных.

В Сети мы по-прежнему живем на Диком Западе. Нам самим нужно установить правила поведения на цифровой арене. Хотя в межличностном общении многое изменилось, принципы цивилизованного диалога остались теми же. И кто знает, возможно, сегодня мы нуждаемся в них еще больше, чем раньше.

С появлением любой новой технологии человек сначала пробует как-то применить ее в жизни, использовать по назначению. Никто не отвергает изобретения сразу. Технологии делают нашу жизнь интереснее и насыщеннее, но они не способны решить за нас все проблемы, а подчас, как видно, даже создают новые.

Сейчас говорят, что люди стали общаться с окружающим миром через призму камеры их телефона, что для многих экран мобильника стал реальнее подлинной жизни. Я видела людей, которые смотрели концерты с экрана планшета, поднятого высоко над головой. Видела и тех, кто судорожно загружал снимок за снимком в «Инстаграм», вместо того чтобы переживать момент во всей его полноте.

Интернет, где люди будут пользоваться реальными именами и придерживаться правил хорошего тона, никогда не наскучит и не превратится в полицейский режим. Просто пользователи начнут вести себя в Сети так же, как в жизни. Если вы приехали к родителям на День благодарения, вряд ли вы станете пить текилу литрами, хлопать по спине друзей семьи и орать «Йоу! Весенние каникулы!». Конечно, если вы празднуете День благодарения в Канкуне, а ваш дядюшка в особенно веселом настроении, отрывайтесь на всю катушку. Призыв к благоразумию, сочувствию и приличному поведению в Сети не означает, что нужно вовсе забыть о безумствах. Дело в том, что реальная и виртуальная жизни становятся все взаимосвязаннее, и теперь нам требуется свод правил, запретов и законов, которые не позволят нам забыть, что по ту сторону монитора сидят живые люди.

То, что хорошо в весенние каникулы, не всегда подходит для Дня благодарения. В Интернете можно найти такие места, о которых не хочется даже упоминать. Там можно увидеть то, чего вы не должны были увидеть, да и не хотели. То, что доступно только в Интернете и не совсем легально. Однако это не означает, что нигде в Сети не нужно соблюдать стандарты морали и этики.

Мы должны не только разумно подходить к публикации собственной информации, но также с умом распоряжаться сведениями, полученными от других.

Ко всему прочему, следует осторожно выбирать друзей как в Сети, так и в реальной жизни. Моя «рождественская» история тому подтверждение. Ничто не защитит вас от глупости друга.

Мы можем быть самими собой и в реальной жизни, и в виртуальной. Не стоит бояться этого. Наши взаимоотношения с Интернетом не должны быть такими запутанными. Тогда технологии можно будет использовать для того, чтобы изменять мир.

Наше поколение — самое могущественное за всю историю человечества. Технологии позволяют нам общаться, сплачиваться и влиять на мир так, как это было нереально еще несколько лет назад. С такими силами мы способны решить вековые проблемы и предоставить каждому новые, невероятные возможности.

Вам нужно лишь оставаться собой.

Глава 5

точка **друзья**

Ближе к друзьям, дальше от дружбы

Раздался звонок. Звонил друг моего друга, с которым меня по электронной почте познакомил другой друг, не спросив ни разрешения, ни моего согласия. Хотя я отклоняюсь от темы. Этот друг моего друга возглавлял собственный бизнес и оказался настолько предприимчив, что сразу же попытался уломать меня заключить соглашение о том, чтобы его контора обслуживала нашу новую телестудию в Менло-Парке.

Я постаралась ответить на его первое письмо максимально вежливо, но точного времени для звонка не назвала, надеясь как-нибудь избежать нежелательного разговора. Спустя несколько дней на меня обрушилась лавина электронных писем.

«ЭЙ, РЭНДИ! — начиналось первое сообщение. — Я С УДОВОЛЬСТВИЕМ выкрою завтра времечко, чтобы поболтать с тобой по телефону. Думаю, вместе мы намутим СТОЛЬКО ВСЕГО».

В тот момент я как раз пыталась разрулить сразу два срочных заказа, разрываясь между Нью-Йорком и Калифорнией и отчаянно надеясь не сойти с ума. У меня не оставалось времени даже на общение с семьей, не говоря уже об абсолютно случайном человеке. Я написала ответ с клятвенным заверением выйти на связь, как только смогу.

«Желательно после того, как парень научится отключать "капслок"», — решила я про себя.

«Ну конечно! — мгновенно ответил он. — Как насчет послезавтра?»

О господи.

В последующие две недели мы обменялись парой дюжин писем. Это был самый напористый и самый назойливый человек из всех, кого я когда-либо знала. У меня есть одна личная особенность: я крайне редко использую свой мобильник в качестве телефона. В основном я самозабвенно строчу сообщения. У меня установлены сотни приложений. Но голосовую почту я могу не проверять неделями (и об этом честно предупреждает автоответчик). В общем, поразмыслив, я решила не втискивать этот разговор в свое и так переполненное расписание. В конце концов, человек вполне мог прислать предложение в письменном виде. Но он продолжал настаивать, и в итоге я сдалась.

В назначенный час зазвонил телефон. Я взяла трубку, и он начал свою презентацию. Он говорил минут двадцать. Долго и скучно. Потом двадцать минут превратились в тридцать. Часы продолжали тикать. Мне пора было возвращаться домой, чтобы сменить няню Ашера, и я решила, что настал час прекратить эту комедию.

— Что ж, — гаркнула я, — было так приятно поговорить...

— Ну конечно! — вклинился голос. — Я тут подумал, а не встретиться ли нам лично? Как насчет завтра?

О черт. Две дюжины сообщений переросли в телефонный звонок, а теперь оказывается, все это было прелюдией к встрече?

— Мне кажется, мы уже обсудили все детали, не так ли? — ответила я.

— Э, ну, м-м-м... — пробормотал он.

Я попрощалась и повесила трубку так резко, как только смогла. Жаль, что нажатие на красную кнопку не доставляет такого удовольствия, какое в свое время давала возможность бросить трубку. Я закрыла офис и пошла на парковку. Все давно разошлись по домам.

Сев в машину, я прочла сообщение от Брента: «Я уже дома. Ашер клевал носом, так что я быстренько уложил его. Можешь не торопиться».

Помню, как я сидела в машине на пустой парковке, грустная и злая. Незнакомый человек отнял целый час моего времени, и из-за этого я не смогла сама уложить сына в постель.

Технологии позволяют нам легко поддерживать связь с теми, кто нам дорог, однако и малознакомые люди могут так же легко разыскать нас.

В мире будущего все мы окажемся связаны друг с другом. Это хорошо. Но это и плохо. Делая Сеть более доступной для человека, мы делаем человека более доступным для Сети. Сегодня существуют сотни способов сообщить любому, кто имеет смартфон, что вы хотите с ним связаться. В большинстве случаев это удобно. Но иногда это может быть и тяжело. Когда твой телефон постоянно вибрирует от приходящих электронных писем, сообщений, рекламок, репостов и ретвитов друзей, бывает трудно связаться с теми, кто для тебя важнее всего в жизни.

В Сети мы можем одновременно контактировать с огромным количеством людей. Однако такое положение вещей имеет ряд сложностей. Мы живем в мире, где можно с помощью «Фейсбука» пожертвовать совершенно незнакомому человеку свою почку и при этом годами не перемолвиться с коллегой за соседним столом ни единым словом, ограничиваясь лишь электронной почтой или мгновенными сообщениями. Можно регулярно общаться с одноклассниками в Сети, а потом возвращаться домой и «отбывать» положенное время с семьей, уткнувшись в свой ноутбук, смартфон или планшет, игнорируя остальных. Мы живем в мире, где можно общаться в «Скайпе» с человеком, находящимся в тысячах миль от тебя, но при этом с трудом выкраивать время для встречи с близким другом.

И все-таки я обожаю свои телефон и планшет, а также растущее число сверкающих и пищащих гаджетов, которые борются за наше внимание с близкими людьми.

Случается, что, уже лежа в постели, я пытаюсь потихоньку ответить на последние несколько сообщений, пряча телефон под одеяло. Естественно, экран светится так ярко, что не заметить это просто невозможно.

— Рэнди, ты что там, играешь в «Энгри Бердз»? — шепчет в темноте муж.

Телефоны занимают все больше и больше нашего времени, и с этим приходится мириться. Тем не менее этот феномен не вызывает у нас отрицательных эмоций. Исследования показали, что проверка сотового телефона затягивает не хуже наркотиков. По словам психиатра Питера Уайброу, который работает в Институте неврологии и поведения человека им. Семела в Калифорнийском университете в Лос-Анджелесе, смартфон — это вид «электронного кокаина». Поскольку человеческий мозг воспринимает любую новинку как награду, новости и уведомления на страничках друзей подталкивают нас тратить все больше и больше времени на их просмотр. По словам доктора Уайброу, «в эру технологий новизна превращается в награду. Мы же становимся наркоманами, зависящими от новизны».

Когда кто-то выражает одобрение ваших поступков, мозг вырабатывает дофамин — вещество, которое отвечает за восприятие награды. Этим и объясняется наша зависимость от гаджетов. В каждом присланном сообщении мы надеемся обнаружить новую дозу.

Именно поэтому, если телефон зазвонил посреди обеда, мы будем жадно смотреть на экран до тех пор, пока не сможем уединиться в ванной. Или загружать на свои страницы фотографии еды, вместо того чтобы наслаждаться ей просто так. Иногда кажется, что бранч не случится, если кто-нибудь не выставит хештег «картофельные оладьи».

В цифровой век люди так часто отвлекаются от еды, что многие рестораны пытаются ограничить использование мобильных телефонов, предоставляя специальное время для фотографирования или заранее заготовленные снимки еды в меню.

Это один способ. Но есть и другой.

Сегодня много говорят о сохранении баланса между работой и личной жизнью, о гармоничном сосуществовании карьеры и семьи, о том, как «заполучить все разом». Однако, на мой взгляд, речь идет, скорее, о технологическом балансе жизни. Неважно, сколько времени вы проводите в офисе, если дома ваша голова тоже забита работой. Неважно, что вы можете переписываться с людьми по всему миру, если не способны выкроить время для разговора с близкими. Обед с друзьями — это здорово, если только вы все не сидите, уткнувшись в мобильники и строча смс. Если вы не инвестируете часть времени в реальную жизнь, значит, поиск баланса навсегда останется только мечтой. Чтобы «заполучить все разом», вам нужно иметь это «все».

Установи контроль над своими устройствами, пока они не начали контролировать тебя. Технологии — всего лишь средство; принесут ли они в жизнь порядок или хаос, зависит от вас. Сами по себе технологии нейтральны. Их можно использовать для улучшения собственной жизни, а можно и для ухудшения.

Технологии развиваются, их влияние растет с каждым днем, и связанные с этим проблемы становятся все острее. Смартфоны практически заглушили нашу способность проживать и ценить каждый миг, погружая нас все глубже и глубже в цифровой кокон.

Последняя сенсационная новинка — «Гугл гласс». Это очки, одна из линз которых проектирует небольшой дисплей прямо на сетчатку вашего глаза. Таким образом вы можете просматривать любые страницы в Интернете, от видео с «Ютьюба» и статей с «Википедии» до порно. Кроме того, очки способны фотографировать или записывать на видео то, на что вы смотрите, и затем публиковать получившиеся изображения в социальных сетях. По сути это смартфон с неограниченным доступом к информации, который вы носите на собственной голове.

Впечатляющее изобретение, однако и у него свои недостатки. Что будет, когда зрительный контакт перестанет быть знаком того, что человек проявляет к тебе внимание?

Всю свою юность я мечтала о пышной свадьбе с несколькими сотнями приглашенных гостей. Но за

годы моей работы в «Фейсбуке» многое изменилось. Каждый момент моей жизни документиро-
вался в СМИ, каждый день я общалась с тысячами
людей... Когда наконец пришло время планировать
свадьбу, я поняла, что детская мечта ушла навсегда.
Я жаждала уединения. Мне больше не нужны были
триста гостей. Я не хотела видеть на торжестве своих одноклассников и сокурсников, потому что благодаря «Фейсбуку» уже знала все детали их жизни.

В конце мая 2008 года я слетала на Ямайку и от-
праздновала свадьбу в узком кругу ближайших друзей и родственников. Мне хотелось провести это
время с самыми дорогими мне людьми, наслаждаясь
самым ценным из всех подарков — их вниманием.

Что я и получила. Свадьба стала одним из самых
прекрасных моментов моей жизни. Мы провели
три классных дня на пляже. Я вела важные разговоры с каждым из гостей. Я купалась во внимании
людей, которых любила и за которых переживала.
И мужчина моей мечты — тот, кто поддержал меня,
когда я присоединилась к «Фейсбуку», велев следовать за своей мечтой, тот, кто поехал за мной в
Калифорнию ради моей карьеры и был рядом несмотря ни на что, — стал теперь моим мужем.

Внимание как валюта

В Сети внимание ценится на вес золота.

До вступления в эру мобильных устройств и по-
стоянного доступа прервать чью-то речь считалось

дурным тоном. Посреди диалога вы не могли просто развернуть и начать читать газету или позвонить школьным приятелям, чтобы узнать, как там поживают их детки. Зато теперь, благодаря смартфонам, подобные вещи происходят постоянно.

На работе сигналят сообщения, в кинотеатре жужжат виброзвонки. Нам звонят, когда мы за рулем, а «Фейсбук» напоминает, чтобы мы не забыли вовремя посетить бабушку. Можно говорить с кем угодно, но едва раздастся знакомый писк или жужжание, внимание тут же переключится на источник звука.

В течение дня все словно соревнуются за наше внимание или внимание других. Смартфоны и социальные сети за последние несколько лет значительно изменили наши жизни к лучшему, параллельно лишив нас способности жить в каждом конкретном моменте. Сегодня считается совершенно нормальным отвлекаться во время встречи или диалога. Мы не считаем нужным посвящать все свое внимание одному-единственному человеку.

В 2013 году Служба предупреждения несчастных случаев Вашингтонского университета провела исследование, которое показало, что из 1102 человек лишь треть смотрит по сторонам при переходе через опасный перекресток. Остальные говорят по телефону, пишут сообщения или слушают музыку. Помните, мама учила вас смотреть при переходе улицы сначала в одну сторону, а потом в другую? Не стоит забывать об этом и теперь.

Бывает и так, что, находясь на рабочем месте физически, вы целый день не вылезаете из социальных сетей, а значит, не выполняете работу, за которую вам платят. Вы не отдаете работе своего полного внимания. (Если, конечно, не работаете где-нибудь в «Фейсбуке». В этом случае вы заслуживаете похвалы.)

Присутствие больше не является знаком полного внимания. Именно внимание сегодня гораздо важнее, чем присутствие или место пребывания. По сути, ценность его настолько велика, что превращает внимание в социальную валюту. Случайный знакомый, пишущий вам пространные сообщения или требующий телефонного звонка, на самом деле пытается ограбить банк вашего внимания. Если вы общаетесь с другом, не отвлекаясь на телефонные звонки и сообщения, вы инвестируете внимание в ваши будущие взаимоотношения и создаете свой депозит на дружеском счете. Ваше внимание — ценный ресурс, которым вы распоряжаетесь по своему усмотрению. Его можно расходовать на друзей, семью, работу или на себя лично.

Конечно, не стоит воспринимать это буквально. Никто не монетизирует человеческие эмоции. Не стоит говорить своему ребенку: «У нас нет времени на разговоры. Ты что, не знаешь, насколько ценно мамочкино время?» Такие слова могут стать причиной жуткого комплекса. Нельзя использовать внимание в качестве разменной монеты. И даже если кто-то кажется не стоящим вашего внимания, это вовсе не значит, что нужно игнорировать всех, кто не обладает «временной ценностью». В противном случае вы рискуете прослыть настоящей сволочью.

Отдавать предпочтение одним и не выглядеть в глазах других заносчивым и высокомерным — задача не из легких. Но упирается она в один простой факт: мы способны поддерживать взаимоотношения с ограниченным количеством людей. Некоторые ученые считают, что число подобных связей регулируется мозгом. Профессор эволюционной антропологии Робин Данбар выдвинул теорию, согласно которой максимальное количество значимых взаимоотношений в нашей жизни не может превышать ста пятидесяти. Сегодня это число известно как «число Данбара». Правдива эта теория или нет, ясно одно: дружить со всеми подряд мы не можем.

Одна из удивительных особенностей человеческой психологии заключается в том, что мы расставляем приоритеты во взаимоотношениях крайне непредсказуемо, а значит, распределяем внимание примерно так же. Задумайтесь на минутку вот о чем: люди ощущают наибольший дискомфорт, занимая деньги у близких знакомых, и в то же время охотнее всего люди одалживают деньги... близким знакомым. Психологи легко определяют характер взаимоотношений по тому, с какой скоростью отдается долг.

Возможно, это частично объясняет тот факт, что мы стараемся поскорее ответить на письма малознакомых людей, зато сообщения от близких могут болтаться в почтовом ящике очень долго. Если коллега или случайный знакомый присылает письмо, на которое не хочется отвечать, мы ощущаем давление, груз ответственности за оказанное нам внимание. Но если в неподходящее время придет письмо от друга, мы вполне можем и не почувствовать того же — особенно если знаем, что скоро встретимся с этим человеком лично.

Когда мы работали вместе в «Фейсбуке», мой брат Марк всегда отвечал на звонки своей девушки Присциллы (которая теперь стала его женой). Чем бы он ни занимался, в этот момент все его внимание отдавалось ей. Мы с Брентом общались точно так же, и моя занятость не имела тогда никакого значения. Если на телефоне высвечивался звонок от «Бренти», я делала все, чтобы на него ответить. Внимание — это самое дорогое из всего, что я могу дать другим людям. Кто же заслуживает его больше, чем мои близкие?

С одной стороны, технологические новинки предоставляют людям возможности для передачи и получения внимания, но, когда запросов слишком много, система зависает. Нам становится трудно поддерживать взаимоотношения даже с самыми близкими людьми.

Принимая решение о том, кому стоит уделить внимание, нужно уметь отличать друзей от «френдов». Сейчас об этом никто не помнит, но были времена, когда мы еще никого не «френдили».

Тогда «френды» были действительно близкими людьми — теми, с кем мы регулярно встречались, выпивали и секретничали. Эра «Фейсбука» и социальных сетей изменила ход вещей. Теперь в списке «френдов» может оказаться и лучший друг, и тайный враг, и коллега по работе, и дальний родственник, и соседская собака, и Ким Кардашьян.

На наше внимание посягают множеством способов. Если кто-то решит послать вам письмо или подарок, у вас будет несколько дней, чтобы подтвердить его получение. Телефонный звонок менее ценен, чем видеозвонок. Вы можете параллельно заниматься своими делами и не заботиться о состоянии прически во время разговора. А вот персональный видеозвонок, при котором отключается свой мобильный, — высшее проявление внимания, какое мы только можем оказать другому человеку.

Рассматривая свое внимание в качестве валюты, мы можем расставлять приоритеты в ответном общении с людьми. Ощущая постоянное давление груды неотвеченных писем в почте, мы гонимся за мифическим единорогом под названием «Входящие: 0» и физически чувствуем себя должниками. Существуют сайты, где ценность внимания обозначена буквально. И за коммерческую рекламу на таких сайтах запрашивают соответствующую плату. Для технологических компаний это настоящий разворот. На заре появления социальных сетей они старались покрепче ухватиться за аудиторию, завербовав как можно больше сторонников и показав тем самым свою популярность. Теперь люди пресыщены общением в Сети, маятник качнулся назад, и многие службы переориентируются на тех, кто хочет контактировать только со знакомыми, близкими людьми. Ярким примером может служить «Пас» — социальная сеть, где в друзьях у одного пользователя может быть не более 150 человек. А также «Пэа» — социальная сеть для пар.

В конце концов нам хочется уделять свое внимание тем, кто значит для нас больше всего.

В этом году на день рождения моей мамы мы укатили на два дня на курорт. За обедом мы подняли бокалы за увлекательное путешествие, а потом (что гораздо важнее) за то, чтобы в этот безумный, суматошный век нам всегда удавалось выкроить время на праздник и личное, реальное общение. Этому обещанию я надеюсь остаться верна на долгие годы.

Одинокие прогулки — с друзьями

С необходимостью отыскать в жизни технологический баланс все понятно. С разумным распределением внимания — тоже. Вот только что все это значит? Как этого достичь? Что делать, чтобы научиться проживать каждый миг своей жизни?

Простого ответа на этот вопрос не существует, но для начала, думаю, неплохо было бы обратиться к своему образу мышления и отыскать подходящий способ внедрения технологических достижений в канву жизни.

Пути назад нет. Технологии развиваются стремительными темпами и становятся неотъемлемой частью взаимоотношений с друзьями и любимыми. Конечно, вы наверняка встретите нескольких технофобов, что боятся «Фейсбука» как огня. Они, скорее всего, не зарегистрированы в социальных сетях, не пишут сообщений и не размещают фотографий в Интернете. Естественно, следует уважать чужие взгляды, предпочтения и отношение к технологиям, однако, без сомнения, общение с подобными людьми станет настоящим испытанием. Пройти через него стоит, только если эти люди вам очень дороги.

Технологическая революция значительно расширила наши возможности. Установить или восстановить контакты с друзьями, врагами, бывшими и настоящими возлюбленными не составляет проблем. Местонахождение людей не имеет значения.

Когда-то давным-давно послания, записанные в выпускном школьном альбоме, могли оказаться последним напутствием другу. Это придавало ситуации торжественный и значительный характер. Я заполняла странички мелким почерком, не забывая оставлять на полях тайные признания. Однако сегодня мы можем общаться не только со школьными, но и с детсадовскими друзьями, если, конечно, их удастся найти.

Теперь можно запечатлеть самые прекрасные моменты жизни и сразу же поделиться ими. Мероприятия организовываются на лету, а старых и новых друзей легко и просто представить друг другу. И еще фотографии детей — их много не бывает. (Хотя признаюсь, в этом я не объективна.)

Понятно, что любые технологические изменения имеют и неприятные стороны. Можно часами просиживать в Сети, игнорируя любимых людей или чувство одиночества. Поздравить кого-то с днем рождения теперь целая проблема: достаточно ли просто разместить пост на «Фейсбуке»? Или лучше послать сообщение? Или открытку? Или позвонить? Можно ли не поздравлять человека с днем рождения, если мы просто знакомые? Что, если я вообще забуду о чьем-то дне рождения? А в свой день рождения: «Боже, как мне ответить на все эти сообщения и пожелания?» О господи!

Каков же ответ? Не стремитесь проводить как можно больше времени в Сети, наслаждайтесь мгновениями реальной жизни. Если наше внимание действительно настолько ценно, что может являться валютой, то в Интернете следует вести себя с друзьями так же, как и в обычном мире.

Нет, это вовсе не значит, что нужно часами специально развивать ваши взаимоотношения. Подчас техника дарит нам передышку, возможность развеяться и посмеяться. Мы просматриваем снимки в «Инстаграме», посылаем друзьям забавные твиты или клипы с «Ютьюба», просто чтобы развеяться.

Необходимо соблюдать ежедневный баланс внимания. Коты в видеороликах не должны мешать общению с настоящими котами. Сидя на концерте, не стоит смотреть его с экрана телефона — у вас есть глаза.

Если вы в Гранд-Каньоне, прежде чем нести очередную чушь о красоте природы и загружать новые виды каньона в Интернет, насладитесь великолепием момента. Фотографируйте только то, что хотелось бы оставить себе на долгую память. Не нужно документировать каждую секунду жизни, даже если у вас есть такая возможность.

Вот почему «прогулки в одиночестве» имеют теперь столь важное значение. Нет, это вовсе не означает, что вы должны ужинать в одиночку. Скорее, это своего рода «ретротренд»: друзья снова и снова оставляют телефоны дома и встречаются, уделяя друг другу все свое внимание, как в прежние времена.

Мое знакомство с этим веянием произошло случайно. Однажды за обедом коллега сказала: «Похоже, у меня разрядился телефон, так что в течение часа мое внимание будет в твоем полном распоряжении». Этот «час» закончился, как только мы нашли розетку. И все же было здорово.

Некоторые люди заходят в развитии тренда еще дальше и выбирают себе среди недели «технологический выходной» — субботу или воскресенье. Если общение с семьей для вас не пустой звук, этот способ может оказаться хорошим вариантом. Возможно, вам даже удастся изолировать от смартфона подростка. Попробуйте организовать такую семейную «прогулку в одиночестве» и не забудьте убедиться, что все члены семьи перед выходом оставили свои телефоны дома.

Большинство сложностей, проблем и неловких ситуаций в современных сетевых взаимоотношениях происходят из-за неспособности людей отыскать в жизни технологический баланс. Они считают, что их друзья должны следовать определенным правилам в реальной и в виртуальной жизни. И если ожидания не оправдываются, это приводит к размолвкам и негодованию. Взаимоотношения рушатся.

Возможно, вы давно не виделись с другом, которому обычно пишете сообщения. Так не пора ли отыскать время, чтобы встретиться с ним лично? А если «Инстаграм» — это современный эквивалент открытки, задумайтесь, разве вы хотели бы провести весь свой отпуск, лихорадочно подписывая открытку за открыткой всем подряд?

Поздравление в виде надписи «С днем рождения!!!» на «стене» в социальной сети вряд ли тронет по-настоящему близких вам людей. Даже если вы поставите в конце три восклицательных знака. Лучше возьмите трубку и позвоните лично. Покажите, что вам не все равно.

Естественно, сам факт того, что вы помните о чьем-то дне рождения, раньше говорил о многом, ведь людям приходилось запоминать важные даты сознательно. В мире без «Фейсбука» вам показалось бы подозрительным, если бы ваш бывший одноклассник Джош вдруг прислал бы вам ко дню рождения поздравительную открытку с письмом — просто так.

«Дорогая Рэнди, — начиналось бы такое письмо. — Знаю, что мы не разговаривали с 1997 года. Надеюсь, с тобой все в порядке. Я тут вспомнил, что сегодня у тебя день рождения, и решил пожелать тебе всего наилучшего. С тридцатиоднолетием! Веселись, веселись, веселись до упаду! Прикрепляю к письму снимок моей собаки и три фотографии красивых закатов. Правда, классные? Напиши, что думаешь по этому поводу. Адрес наверху. Искренне твой, Джош».

После такого вам осталось бы только сменить имя и место жительства. Причем, скорее всего, в ущерб собственным интересам.

Сегодня все по-другому. Нам кажется совершенно нормальным, естественным и даже приятным получить от Джоша поздравление с днем рождения. Никто не скрывает дату своего рождения — это публичная информация, которая наверняка является частью вашей анкеты.

Вот только специфика технологического баланса жизни в том, что подобные приятные на первый взгляд мелочи перестают задевать наши чувства. Благодаря социальным сетям вас может поздравить с днем рождения любой знакомый, а значит, этот фактор уже не является индикатором близости ваших взаимоотношений, как это было раньше.

Когда в жизни человека случаются знаковые события — свадьба, переезд, смена работы, —

близких друзей лучше известить об этом прежде объявления на «Фейсбуке». Так они почувствуют свою значимость для вас и не обидятся, увидев себя в качестве одного из множества адресатов новостей.

Брент сделал мне предложение в День святого Валентина. Это был чудесный вечер 2007 года. Мы сидели в отеле «Ритц Карлтон» в городке Хаф-Мун-Бей, что в Калифорнии. Отойдя от первого взрыва счастья, слез, удивления и шока, я решила сделать несколько звонков. Мы быстренько составили мысленный список тех, кому стоило сообщить новость лично. Для остальных предполагалось написать пост на «Фейсбуке». К счастью, Брент оказался крайне находчив и успел заранее поведать о своих планах членам моей семьи (мама, едва дыша, ожидала нашего звонка с подтверждением, что все прошло успешно), самым близким друзьям (многие из которых помогали с выбором кольца и планом помолвки), а также некоторым коллегам (чтобы похитить меня в разгар рабочей недели и увезти посреди ночи в Хаф-Мун-Бей). Благодаря этому список оказался совсем коротким.

Следующим шагом стала фотография кольца на «Фейсбуке». Если вы хоть раз проводили там больше десяти минут, то наверняка поймете, о чем я говорю.

После этого я отложила телефон в сторону и не проверяла его до следующего утра. Мне хотелось насладиться чудесным моментом счастья и единения и начать новую главу своей жизни без посторонних глаз.

На заре «Фейсбука», когда его сотрудники были не только коллегами, но и сетевыми друзьями, несколько человек из нашей команды решили съездить в Напу. По возвращении мы серьезно разругались с одной из моих коллег, которая, просмотрев посты о путешествии, со слезами на глазах спрашивала, почему мы не позвали ее с собой. Я не знала, что ей ответить. Никто не мешал ей поехать с нами, просто все организовалось спонтанно, в последнюю минуту. Я не хотела задеть ничьи чувства. Я даже не имела никакого отношения к списку приглашенных. Однако девушка восприняла произошедшее очень болезненно. Фотографии друзей, веселящихся без нее, вызвали у нее чувство ревности и обиды. Иногда постоянно быть на связи оказывается не так уж приятно.

Этот феномен получил название ФОМО[1] и характеризуется боязнью оказаться исключенным из общественной жизни. Люди с такими симптомами крайне ревниво, подчас неадекватно, реагируют на сообщения о счастливых событиях в жизни друзей. Особенно если эти события были документально зафиксированы. Доктор Энди Пржибильски в июльском выпуске журнала «Компьютеры и поведение человека» за 2013 год высказал мысль, что люди, страдающие синдромом ФОМО, имеют очень низкий

---

[1] ФОМО, от англ. FOMO — «fear of missing out», т. е. боязнь остаться не у дел.

уровень удовлетворенности собственной жизнью. В заключении говорилось, что ФОМО «отвлекает вас от того, чтобы жить своей жизнью здесь и сейчас».

Есть ли способ избавиться от этого синдрома? Думаю, нужно помнить о том, что любой пост отражает лишь крошечную часть жизни конкретного человека. То, что люди публикуют в Сети, никоим образом не показывает все нюансы их быта. Мы понятия не имеем, как живет этот человек за закрытыми дверями. Мы не видим фотографий его собаки, писающей на коврик для ног, или скандалов между членами его семьи.

Возможно, кто-то смотрит на ваши посты и точно так же завидует вам. Мы не должны поддаваться духу соперничества и ревности. Порой я замечаю, как здорово люди проводят время (или обсуждают это в Сети), и сердце сдавливают знакомые тиски зависти. Особенно если на работе выдался тяжелый день или я сижу дома с больным ребенком. Но потом я напоминаю себе, что нужно просто порадоваться за других. Завтра ситуация изменится, и, возможно, уже ваши друзья будут радоваться за вас! Если же какие-то публикации друзей вызывают у вас ощущение заброшенности и грусти, позвоните им и обсудите все начистоту. Это как-никак ваши друзья. Предоставьте им возможность доказать это.

Не так давно появилась тенденция посылать людям «непригласительные» на мероприятия. Задача подобных сообщений — принести извинения за то, что вы не включили конкретного человека в список гостей. Это своего рода дань вежливости. Предполагается, что так человек, наткнувшийся в Сети на фотографии с мероприятия, будет не слишком удивлен и обижен. Как по мне, такое поведение неприемлемо. Я понимаю, что отказать человеку в приглашении очень тяжело. Обижать, удивлять или разочаровывать кого-либо всегда неприятно. Однако в таких вещах лучше сказать обо всем напрямую. Если люди достаточно близки вам, чтобы действительно расстроиться, когда вы не пригласите их на какое-нибудь мероприятие, лучше позвоните им и объясните все лично. Но ни в коем случае не пытайтесь спрятаться за экраном компьютера или старомодным письмом.

Одно из самых сложных, но необходимых в онлайн-жизни умений состоит в том, чтобы вовремя обрывать ненужные нити. Многим людям невыносимо трудно говорить об удалении кого-либо из списка своих друзей. Девочки-скауты поют «Заводи новых друзей, но не забывай и о старых», а не «Заводи новых друзей и удаляй старых». Нет ничего хуже личной встречи с человеком, которого ты удалил из своего списка. В 2013 году Крис Сибона из бизнес-школы Университета Колорадо в Денвере провел исследование, которое показало, что 40% из 582 респондентов не хотели бы встретиться в реальной жизни с теми, кого исключили из друзей в «Фейсбуке», особенно если причина разногласий была серьезной.

Во время написания этой книги я несколько раз затевала горячие споры с друзьями по поводу цивилизованного удаления людей из контакт-листа. Мы обсудили все за и против, и в конце концов мои оппоненты разделились на два лагеря. Первые утверждали, что удалять вообще никого не надо, чтобы не терять потенциально полезные контакты (коллег по работе, друзей друзей и т. д.). Костяк этой группы составляли те, кто уже достиг просветления и больше не беспокоился о каких-то бренных контакт-листах. Во второй лагерь вошли горячие головы, удаляющие друзей за малейший проступок или как только отношения изживают себя.

Я застряла где-то посередине. На мой взгляд, удаление из списка друзей — это нечто вроде весенней генеральной уборки. И чистить список следует от контактов, поддерживать которые уже не имеет особого смысла, то есть от людей, с которыми вы могли бы общаться, но не общались длительный период времени.

Знаю, это задевает чувства, и кажется, что, удаляя человека из своей жизни, вы обязаны с ним объясниться. Однако чистка списка от мифических друзей — занятие крайне полезное. На самом деле можно сказать лишь: «Дорогой товарищ, прошу прощения, но я совершенно забыла, кто вы такой, и не уверена, что желаю показывать вам фотографии своих детей».

Разрывая контакт, делайте это спокойно и обдуманно. Не нужно вести себя низко или писать на всеобщее обозрение о том, как здорово было избавить своих друзей от этого человека. Быть удаленным не нравится никому, так что не стоит публично заявлять об этом.

Но удалять из списка друзей человека, с которым вы знакомы лично и глубоко, того, с кем у вас недавно случился конфликт, — совсем другое дело. Возможно, лучше хорошо обдумать все за и против и отказаться от мысли немедленно пустить в ход тяжелую артиллерию. Переключитесь на что-нибудь другое. Дайте дружбе время, а если ничего не изменится, уберите контакт во время следующей сезонной чистки.

Бывает так, что отношения разорваны навсегда и нет надежды на примирение или человек оказался хамоватым, ядовитым, — тогда удаляйте контакт без колебаний. Только проводите процедуру достойно, не забывая, что в один прекрасный день вас тоже могут удалить.

В конце концов, правила цифрового мира копируют правила обычной жизни: в основе их лежат сопереживание, взаимопонимание и чувство общности. Всегда ставьте себя на место другого человека, не забывайте о живых людях по ту сторону монитора и дарите внимание родным и близким.

Остановитесь и вдохните аромат цветов

В десятом классе мы стали заниматься с учителем музыки, который перевернул всю мою жизнь. Он все время повторял своим ученикам: «Остановитесь и вдохните аромат цветов». Нам было по шестнадцать или семнадцать лет, и мы постоянно злорадствовали на эту тему. Ни один день не проходил без шуточек из серии «Ты уже нюхал сегодня цветочки?».

Пару лет назад он умер. Всякий раз, когда я думала о той роли, которую он сыграл в моей жизни, мне вспоминалась эта загадочная фраза: «Дети, не забывайте останавливаться и вдыхать аромат цветов». Зачем он это говорил? Что конкретно имел в виду?

Во время написания этой книги я наконец поняла.

Весной 2013 года я провела несколько недель в Токио вместе с мужем и сыном. Если я не писала, то старалась убрать мобильник подальше, отключиться и уделять все свободное время близким. Никаких телефонов, планшетов или компьютеров. Я была недоступна для внешнего мира часами. Япония — прекрасная и завораживающая страна. Чтобы запечатлеть в памяти каждый миг, я должна была *прожить* его. Хотя Ашер наверняка не запомнил ничего из той поездки, я впитывала и запоминала все за нас двоих.

По вечерам, счастливая и переполненная впечатлениями дня, насыщенного живыми разговорами и обсуждениями, я садилась за ноутбук и погружалась в Сеть. Браузер неутомимо подсчитывал растущее количество непрочитанных сообщений и открывал кучу сайтов.

Возможно, вы подумали, что возвращаться в сетевую реальность было страшно. На самом деле —

ничуть. Я чувствовала себя обновленной и лучше понимала, на что стоит ответить немедленно, а что можно отложить на потом.

В последние годы все мы живем в стрессовом состоянии постоянной готовности к реагированию. Работа часто превращается для нас в нежеланного гостя в часы нашего досуга. Согласно последнему исследованию «Фирс Инкорпорейшн», 58% сотрудников вообще не успевают отдохнуть за время отпуска, а 28% возвращаются еще более взвинченными, чем уходили. В «Бостон консалтинг груп» выяснили, что сотрудники, которые полностью отключались от рабочих забот хотя бы на один выходной, чувствовали большее удовлетворение от жизни и меньше думали о смене работы.

Некоторые эксперты утверждают, что проверять почту следует ограниченное количество раз в день (и первый раз не должен приходиться на раннее утро). Кроме того, следует ограничивать время, в течение которого вы можете отвечать на письма. Такой подход повышает продуктивность работы. Исследователи из Университета Северной Каролины выяснили, что люди, выделяющие время для медитации, чувствуют себя более счастливыми и коммуникабельными и начинают менять социальные привычки. До той знаменательной поездки я бы ни за что в это не поверила.

Естественно, я не утверждаю, что люди должны часами игнорировать электронную почту и телефонные звонки. Карьерный рост и активная социальная жизнь сегодня во многом зависят от технологий, и абстрагироваться от них не лучшая идея.

Но иногда, если мы действительно хотим прожить какой-то миг вместе с близкими, лучше выключить телефон и перекрыть доступ в Сеть. Мы — хозяева своих технических устройств, и по-другому быть не может. Есть время пользоваться технологиями и есть время отложить их в сторону.

Когда речь заходит о поиске технологического баланса в жизни, на первый план всегда выходит сама жизнь. Не забывайте останавливаться и вдыхать аромат цветов.

Глава 6

точка **любовь**

Любовь в век «Фейсбука»

Стояла холодная зима 2001 года. Наша музыкальная группа «Возможности Гарварда» выступала в Бостоне на гарвардской тусовке.

Прошу простить меня за слово «тусовка», я хотела сказать, на «чудесной вечеринке». Конечно, со сценами из «Социальной сети» это сравниться не могло, зато то мероприятие было реальным. И там был ледяной желоб, по которому текла исключительно водка «Вулфшмидт».

Когда дешевая водка уже начала казаться вполне приличной, я познакомилась с симпатичным парнем по имени Брент. У него был приятный южноафриканский акцент и стойкий характер. Он мужественно выносил мою болтовню и болтовню остальных участников «Возможностей» — то есть показал себя человеком не робкого десятка. (Кстати, чем больше мы пили, тем громче пели...) И тем не менее в тот вечер нам удалось немного поговорить по душам. А ближе к утру мы обменялись адресами электронной почты. До появления «Фейсбука» это считалось большим делом.

Надо признаться, у нас все-таки возникли некоторые проблемы. Во-первых, у него была девушка. Во-вторых, выйдя на улицу, я завалилась в кусты. Ой.

На следующий день я добавила «Брента Т» в свою адресную книгу. И забыла про него.

На долгих два года.

Прошло уже несколько месяцев, как я поступила на работу в «Огилви-энд-Мейзер». Мы с коллегой оживленно переписывались, обсуждая поправки, которые следует внести в проект клиента. Я ждала ответа на свое предложение, когда услышала знакомый звук, извещавший о прибытии нового сообщения.

Это оказался Брент Т.

«Привет, Peggy42st, давно не виделись. Решил поздороваться и сообщить, что недавно вернулся из турне по Европе и сейчас работаю в Нью-Йорке. Если ты свободна, может, посидим где-нибудь?»

Интригующе.

Мы договорились вечером выпить по коктейлю в баре, который находился прямо под офисом «Огилви-энд-Мейзер». Естественно, к концу рабочего дня я очень нервничала. Хотелось поскорее уйти, но босс, как назло, подкинул мне несколько срочных заданий. Десять минут переросли в двадцать, а потом и в сорок пять. Поскольку мы общались исключительно по электронной почте, телефонного номера Брента у меня не было. Однако, оказавшись в баре через час, я сразу увидела его. Брент все еще ждал. Он выглядел превосходно и заказал мне «маргариту» без соли. Мы поболтали о работе и жизни. Он рассказал, что расстался со своей девушкой. Мы оба были свободны.

После второй «маргариты» я упала в его объятия. Уже второй раз — если считать инцидент с кустами.

Несколько месяцев спустя мой брат основал «Фейсбук». К тому моменту у нас с Брентом уже были отношения — отношения, которые переросли в любовь, а потом в брак и семью. Сложности свиданий в эру высоких технологий обошли меня стороной. И все-таки я от всего сердца благодарна техническим новинкам за ту роль, которую они сыграли в поддержании наших с Брентом чувств друг к другу.

Если бы в тот роковой вечер мы не обменялись электронными адресами, мы не смогли бы отыскать друг друга позже — во времена, когда технологии уже глубоко внедрились в сферу социальных взаимоотношений.

Технологии полностью изменили процесс ухаживания и романтическое восприятие мира. Бесчисленные приложения и веб-сайты помогают нам отыскать потенциальную «половинку». Переписка, видеочаты и социальные сети создали целый свод правил по ухаживанию и поведению на ранних этапах знакомства. Сеть — отражение реальной жизни, а значит, если ваш социальный статус изменился, придется поменять его и в Интернете. А расставание в реальности означает также и разрыв всех связей во Всемирной паутине.

В былые времена, если вам кто-то нравился, сначала нужно было подобраться к этому человеку. Вы старались разузнать, что ему нравится и не нравится, наладить контакт с его друзьями, выяснить сферу его интересов. Чтобы познакомиться, вы пробовали посещать одни и те же вечеринки, а иногда и вовсе просили приятелей организовать «случайную» встречу. Сегодня, с того момента как на экране высветились слова «запрос на дружбу принят», вы за доли секунды получаете полный доступ к жизни человека. Вы узнаете, в какую школу он ходил, с кем общается и что он надевал на прошлый Хэллоуин.

Раньше, чтобы узнать, встречается ли с кем-то понравившийся вам человек, нужно было выяснять это в разговоре. Теперь эта информация находится в широком доступе. Если постараться, можно даже отыскать фотографию его пассии. Теперь, начни вы встречаться с кем-то за пределами своего социального круга, «Фейсбук» тут же выдаст вам контакты общих друзей, предложит ознакомиться с любимыми книгами, фильмами и музыкой объекта вашей симпатии и даже пришлет фотографию его тошнотворно милого пса по кличке Бу.

Будучи вдали друг от друга, возлюбленные раньше посылали письма или звонили по телефону. Но для Интернета не существует расстояний.

И все же дела иногда идут совсем не так, как мы предполагали. Из загадочной технологической новинки социальные сети стремительно превращаются в нечто не слишком приятное.

Отношения напоказ

Когда «Фейсбук» только появился, его внешний вид полностью соответствовал названию. Это было что-то вроде книги с лицами. Домашние страницы пользователей выглядели статично. На стене отображались последние посты и кое-какие сообщения. Если ваш друг отредактировал свой профайл, узнать об этом можно было, только перейдя на его страничку. Ну а потом начиналась утомительная игра под названием «Найди отличия». Социальные сети готовились изменить мир, однако в 2005 году «Фейсбук» был лишь чудесным источником справочной информации.

Посчитав, что Сеть стремительно изменится к лучшему, если пользователи получат мгновенный доступ к социальной жизни друзей, «Фейсбук» скомпоновал всю публикуемую информацию в один длинный лист под названием «Лента новостей». И каждый, кто подписывался на нее, мог видеть то же, что и остальные. Сегодня «Лента новостей» — неотъемлемая часть «Фейсбука», которая делает его невероятно могущественным. Из домашней странички «Фейсбук» превратился в целый мир, где люди чувствуют себя как дома.

За несколько недель до того, как «Фейсбук» повсеместно запустил «Ленту новостей», сотрудники решили провести собственное финальное тестирование. Сегодня в Кремниевой долине такое называется «догфудингом» — в ходе подобных тестов сотрудники технологических компаний в целях выявления достоинств и недостатков продукта используют его, как обычные пользователи, то есть «едят свой собачий корм».

А потом случился один из самых печальных разрывов в истории пар «Фейсбука». Двое коллег — назовем их Джо и Сара — встречались долгое время. У них были очень страстные взаимоотношения со своими взлетами и падениями, и все знали, что в последнее время они как раз несколько охладели друг к другу. Сара была моей близкой подругой — раз в неделю мы вместе ходили вечером в спортзал, а потом ели салаты и пили белое вино, — так что драма, можно сказать, развернулась на моих глазах. Можете представить себе всеобщий шок, когда в день начала тестирования «Ленты новостей» все сотрудники офиса узнали, что Джо и Сара расстались навсегда.

Все, кто заходил в тот день на «Фейсбук», сразу же натыкались на пост с ярко-красным разбитым сердцем. Заголовок был сформулирован жестко и коротко: «Джо и Сара больше не вместе».

По офису поползли слухи. Люди шептались в туалетах и бросали на ребят озабоченные и ободряющие взгляды. В итоге им пришлось на несколько дней залечь на дно.

Но, черт побери, лента работала!

Мы столкнулись с чем-то необычайно могущественным. И известие о печальном разрыве не имело к этому никакого отношения. Мы затронули сам фундамент природы социального взаимодействия. Больше не нужно было спрашивать у друзей, что нового произошло в их жизни, или торчать у кофе-машины, чтобы узнать последние сплетни. Теперь эта информация поступала к нам напрямую. Точно из газеты, выпускаемой специально для нас и наших друзей. Впервые за всю историю новости о жизни друзей были такими же интересными и доступными, как новости из газеты.

Не поймите меня неправильно. Печальная история Джо и Сары действительно получила неприятную огласку, но большинство отношений, развивавшихся на наших глазах, эволюционировали в позитивную сторону. Будь у нас возможность вернуться назад во времени и убрать «Ленту новостей», вряд ли кто-то согласился бы пойти на это. Потери оказались бы слишком велики. Вот что, оказывается, заставляло нас сплетничать на офисной кухне! Теперь лучшим местом для сплетен стал Интернет, причем все наши друзья уже были там. На примере Джо, Сары и множества других людей по всему миру можно утверждать, что теперь романтические взаимоотношения постоянно находятся под прицелом чужих глаз. Это явление пока малоисследованно.

Но я называю его «отношениями напоказ».

Феномен отношений напоказ характерен не только для «Ленты новостей» или даже всего «Фейсбука». Мы здесь ничего не выбираем и ни от чего не отказываемся. По сути, это наше будущее, то, как будут выглядеть взаимоотношения грядущих поколений. Скажем за это спасибо Интернету, социальным сетям и мобильным телефонам. Теперь, когда мы можем мгновенно поделиться с друзьями каждым мигом своей жизни, наши отношения превращаются в миниатюрную мыльную оперу — от первого свидания до последнего, от загрузки до удаления фото, от приглашения в друзья до удаления из списка контактов.

Все эти действия происходят на глазах у знакомых. За нашими отношениями следит целый мир, а значит, теперь их ценность определяется не только личными переживаниями, но и реакцией аудитории.

Вспомните президентские выборы, которые мы наблюдаем каждые четыре года. Кандидат может завоевать симпатии зала, но по-настоящему ценная аудитория находится там, по другую сторону экрана, — и именно она помогает выиграть выборы.

Мы сами такие же кандидаты, баллотирующиеся на пост главного романтика. Каждый мечтает поразить свою вторую половинку сумасшедшими ресторанами, восхитительными марками вина и способностью находить общий язык с ее противными приятелями. Но покорить чье-то сердце в один момент сегодня уже невозможно. Определяющим фактором наших взаимоотношений часто становится то, как они выглядят в Сети. Что, если вы плохо смотритесь вместе на фотографиях? Что, если «френды» не одобрят ваш выбор, когда вы станете «официальной парой»? Что, если вы втайне возненавидите своего партнера за то, что в графе «Интересы» он указал «Никельбэк»?

На первый взгляд, эти вопросы могут показаться дурацкими. Кому вообще есть дело до того, что думают друзья по поводу его выбора? Зачем думать об отношениях в Сети, если строить реальные отношения гораздо приятнее?

На самом деле эти вопросы крайне важны, потому что в мире подлинных онлайн-личностей связь Сети с реальностью становится все более прочной. В конце концов никто не сможет разделить эти две сущности. В мире отношений напоказ все происходящее на личном фронте будет автоматически становиться частью профайла, а значит, влиять на восприятие вас как личности, а также вашей пары в целом.

Все это наводит на новые размышления по поводу взаимоотношений. К примеру, начиная с кем-то встречаться, вы тут же пытаетесь выяснить, как выглядит его или ее профайл. Нужно убедиться, что вы как личности способны настроиться друг на друга. Множество любовных разговоров раньше начиналось с вопроса: «А мы пара?» Теперь он звучит по-другому: «Когда объявим в Сети, что мы вместе?» Делая официальное заявление, вы ищете одобрения и поддержки всего онлайн-сообщества.

Но есть вещи, которые не стоит анонсировать в Интернете и выставлять на всеобщее обозрение. Хотя бы потому, что все, начиная с места свидания и заканчивая содержимым ваших тарелок, можно твитнуть, загрузить в «Инстаграм», отметить «лайком» и прокомментировать с вашего ведома или без него.

Я знаю кучу людей, которые бегают в туалет во время свидания, чтобы рассказать друзьям по «Фейсбуку» о том, как все идет. Я спродюсировала один из выпусков передачи «Браво» под названием «Стартапы Кремниевой долины». В нем заслуженный предприниматель Сара Остин в реальном времени рассказывает в Сети о своем свидании, и ее спутник ловит ее с поличным. *О нет!*

Другая моя подруга использует специальный код, чтобы публиковать в «Твиттере» репортажи со своих свиданий. Этот секретный код знают только несколько ее близких друзей, так что я не стану его раскрывать.

К счастью, большинство людей не комментируют свои свидания в процессе. А многие на первых порах и вовсе забывают о социальных сетях.

На нас оказывается колоссальное давление. Неудивительно, что отношения напоказ легко могут раздражать и приводить к стрессу. При таком положении дел отыскать технологический баланс жизни становится все труднее. Существуют три ключевые точки, на которых стоит заострить внимание: интимность, взаимные ожидания и самоидентификация.

Тег «интимное» не имеет смысла

В начале 2008 года мы с Брентом начали готовиться к свадьбе на Ямайке. Чемоданы были практически упакованы. Билет на самолет оказался дороже моего платья (и, к сожалению, это не шутка!). Мы с мамой должны были вылететь на неделю раньше и убедиться, что все сделано как надо. Естественно, ничто в жизни не проходит так, как задумано. За два дня до вылета нам позвонил раввин, который должен был проводить церемонию на Ямайке. Он просто хотел убедиться, что мы уже поженились в Соединенных Штатах. Мы с Брентом посмотрели друг на друга. «Что?! Как это мы упустили такую малюсенькую деталь — оказывается, надо пожениться перед свадьбой?!» Возможно, раввин просто забыл упомянуть о том, что ямайский брак не будет действителен в США. А может, это была наша вина. Как бы то ни было, нас охватила паника.

К счастью, наши добрые друзья Крис и Дженнифер хорошо знали местного судью, который согласился поженить нас на следующий день за пару часов до моего вылета на Ямайку. Это оказалось непросто — сборы я еще не закончила. Кроме того, оставалась куча незавершенных дел на работе, а впереди ждал трехнедельный отпуск за пределами страны.

На следующее утро я бегала по офису, лихорадочно пытаясь свести концы с концами. Мы как раз занимались президентскими выборами, и я хотела убедиться, что оставляю все в лучшем виде.

Внезапно замигал календарь моего «Аутлука», прозвенел звонок и на экране появилось сообщение: «Приглашение от Брента Творецки — ДАВАЙ ПОЖЕНИМСЯ!»

Мгновение я тупо смотрела на эту надпись. А затем расхохоталась, осознав абсурдность ситуации. Хотя я была бесконечно благодарна Бренту за то, что он оставил в моем календаре пометку с приглашением на собственную свадьбу, потом я не раз подшучивала над ним из-за этого.

Итак, технологии частенько мешают романтической стороне нашей жизни. И «Фейсбук» тоже. Недавнее исследование доктора Сэма Робертса из английского Честерского университета показало, что люди чувствуют себя на 50% счастливее и в полтора раза больше смеются, если общаются с друзьями вживую, а не через социальную сеть. Видимо, так вспоминается больше шуток.

Мы с Брентом, как и остальные наши знакомые, ощущаем жгучее чувство вины из-за того, что проводим много времени в Интернете. И все же продолжаем в том же духе. Вечера, которые мы планируем провести вместе, часто заканчиваются тем, что мы садимся рядышком на диване, уткнувшись каждый в свой ноутбук, и даже не разговариваем. Раньше отдых от тяжелого трудового дня обычно предполагал некую социальную активность. Сегодня же мы отдыхаем почти в полной изоляции от людей. Все эти мобильные игры, видео, онлайн-шопинг создают иллюзию присутствия в обществе и в то же время ментально изолируют нас от всего мира.

Фигурки на нашем свадебном торте были забавной карикатурой на нас самих и ясно показывали, как сильно мы озабочены собственной карьерой: статуэтки невесты и жениха, уткнувшихся в коммуникаторы «Блэкберри», смотрели в разных направлениях. Брент заявил, что фигурки на торте совсем невеселые. Мне же они понравились, и в конце концов Брент согласился их оставить. Пять лет спустя фигурки на торте воплотились в статус-кво наших отношений.

Я не раз видела, как люди ломали голову над «проблемой айпадов в спальне». Она заключается в том, что порой, возвращаясь домой после изнурительного рабочего дня и ложась спать, супруги, вместо того чтобы поговорить, утыкаются в планшеты и пускаются в бесконечное путешествие по Сети. В 2006 году, исследовав 523 итальянские пары, команда психологов пришла к выводу, что те пары, у которых в спальне стоял телевизор, занимались сексом в два раза меньше, чем те, у которых его не было. Телефон или планшет в спальне — примерно то же самое. Только каналов в миллионы раз больше.

Согласно последнему исследованию «Байер Хелскейр Фармасьютикалс», 28% женщин заявили, что электронная почта и Интернет разрушают их любовные отношения. К карманным устройствам женщины тоже относились отрицательно.

Остается только надеяться, что человечество не остановится на достигнутом только потому, что кто-то не может оторваться от онлайн-игр. Это было бы самым дурацким концом всех времен и народов.

Делиться значит заботиться?

У всех нас есть такая пара знакомых на «Фейсбуке». Они загружают умилительные фотографии, рассуждают о глубине своих чувств друг к другу и каждый день в своих статусах благодарят Бога за любовь всей своей жизни. Видя такие посты, я обычно закатываю глаза. А потом озадаченно хмурюсь: что с этими парами не так? Зачем им кому-то что-то доказывать? И для кого они всё это делают? Действительно ли их жизнь так сказочно прекрасна, как они утверждают?

Несколько лет назад один мой коллега и друг публично сделал своей девушке предложение, проиллюстрировав его в «Фейсбуке» множеством фотографий и сменой статуса. Хотя мне было приятно ощущать себя в гуще событий, сомнения в том, ради чего это было сделано, не покидали меня ни на миг. Создавалось ощущение, что ребята больше заботились о том, какое впечатление произведут на своих друзей и знакомых, чем о собственной жизни. Несколько месяцев спустя пара отменила свадьбу. Похоже, они настолько привыкли работать на публику, хвастаясь своими нежными чувствами, что просто забыли беречь их в реальной жизни.

Интимность — это не только красивое фото или хорошо написанный пост, который хочется оценить или ретвитнуть. Зрелищное шоу вовсе не становится хорошей инвестицией в отношения.

Когда бы люди ни говорили о подобных ситуациях, я всегда предлагаю им пообщаться с близкими и установить для себя свод правил. В действительно интимных взаимоотношениях — платонических ли, или романтических — каждому иногда хочется ненадолго уединиться, дистанцироваться от взглядов сотен людей. Какая разница, знает ли мир о том, что вы с кем-то дружите, встречаетесь или просто проводите время? Единственное, что действительно важно, — это ваша способность наслаждаться минутами вместе без направленных на вас объективов камер.

Мы с Брентом состоим в приватных онлайн-группах, где делимся друг с другом моментами из жизни нашего чудесного, неповторимого сына Ашера. Конечно, у нас есть дорогие воспоминания, которые хотелось бы сохранить, однако для этого нам вовсе не хочется делиться ими со своими друзьями — и тем более со всем Интернетом. Вместо того чтобы обращаться наружу, мы обращаемся внутрь. Мы получаем удовольствие от возможности делиться и при этом не оказываемся под прицелом взглядов праздных зевак.

Можно просто хранить в памяти те моменты, которые никак не задокументированы в Сети. Наслаждаться закатом на пляже реально и в одиночку. И пускай к вам подплыла стайка дельфинов, а доска для серфинга тихонько поскрипывает о песок, не стоит переходить к активным действиям. Отложите телефон в сторону. Миру не нужен еще один снимок заката.

Как чудесно любоваться парами, которые наслаждаются жизнью! Вот их фотографии стоит отправлять в Сеть. Я обожаю видеть друзей счастливыми, читать выражение радости и любви на их лицах. И при этом всегда надеюсь, что они успели насладиться этим особенным, уникальным моментом их собственной жизни. Интимность — это то, что появляется, когда вас не видит никто. В век социальных сетей и круглосуточного подключения к Интернету посторонним доступно слишком многое.

Еще одна сторона интимности — ее значение для отношений на расстоянии. В этой теме я разбираюсь, как никто другой.

В 2005 году я уехала в Калифорнию, оставив Брента в Нью-Йорке. Мы общались в Сети и переписывались по электронной почте. И еще много говорили по телефону. Хотя созванивались мы не каждый день, да и переписывались от случая к случаю. В том или ином виде мы контактировали ежедневно, просто иногда эти контакты сводились к коротким сообщениям за обедом или обмену фотографиями по вечерам.

Естественно, это не шло ни в какое сравнение с традиционными убеждениями большинства людей. Мы общались не так много, зато искренне. И подобные проявления внимания поддерживали в нас ощущение близости.

Расстояние часто убивает интимность между партнерами. Компенсировать проблему временем тут не получится. Вы можете общаться больше, но в итоге рискуете навсегда разрушить хрупкое ощущение близости. Ведь если мы делимся слишком многим, ценность наших взаимоотношений снижается.

В апреле 2013 года доктор Берни Хоган из Оксфордского института Интернета опубликовал работу о влиянии различных форм коммуникации на взаимоотношения в браке. Проанализировав двенадцать тысяч пар, он выяснил, что те супруги, которые много общались при помощи технических средств, не чувствовали удовлетворения от своих отношений, испытывали стресс и часто находились в подавленном состоянии.

Мы с Брентом нашли баланс: мы связывались регулярно, но никогда не считали эти контакты заменой более важным разговорам и не забывали оказывать внимание друг другу. В будни мы предоставляли друг другу возможность заниматься своими делами и не нарушали границ личного пространства, зато раз в несколько дней устраивали настоящий разговор. Нам всегда было что обсудить и чем поделиться, и мы с нетерпением ждали этих звонков.

А еще всякий раз, когда я слышала стук в свою «аську», сердце чуть не выпрыгивало у меня из груди. И по сей день, когда я слышу этот стук, мне кажется, что вот-вот случится что-то невероятное.

Близость — это больше, чем внимание и фальшивая озабоченность. Это умение держать баланс в отношениях и понимать, когда пора закрыть посторонним доступ в свою жизнь. Этот совет кажется простым, но в мире, где нас вынуждают делиться всем и вся, довольно сложно понять, что мы вовсе не обязаны делать это.

Любовь не нуждается в тэгах к фотографиям

Может, из-за того что я так долго работала на «Фейсбуке», а может, из-за особенностей характера, мне очень нравится публичность. Брент не разделяет моей страсти. Мы постоянно спорим о том, что позволяется и не позволяется выкладывать в Сеть, особенно если речь заходит о фотографиях сына. В нашей семье за связи с общественностью отвечаю, само собой, я. (Неожиданно, правда?)

Естественно, мы обсуждаем проблемы свободно и честно и стараемся найти золотую середину. Комфортно должно быть всем. Чересчур виртуализированные отношения рискуют стать слишком сложными и запутанными. Избежать конфликтов в таком случае можно лишь одним способом — открыто и объективно обсуждая все вопросы и вместе находя приемлемое решение.

Подобные обсуждения невозможны без понимания цели, которой служат технологии в нашей жизни.

За последний год я побывала на трех свадьбах. На первой гостям строго-настрого запретили размещать фотографии в «Фейсбуке». На второй на время свадебной церемонии у всех отобрали сотовые телефоны — к счастью, без применения грубой физической силы. А на третьей не просто разрешили публиковать снимки, а даже создали хештег церемонии и дали гостям возможность общаться в «Твиттере».

Я прекрасно провела время на всех трех свадьбах, хотя у #майкаинэнси немного озаботилась тем, что же появится в Сети во время их медового месяца. Это были три очень разные свадьбы. Все три пары имели четкое представление о том, как именно надлежит использовать технологии в этот торжественный день, и потому все три церемонии прошли успешно.

В начале этого года моя команда занималась организацией грандиозной интерактивной свадьбы, для чего «Цукерберг Медиа» объединилась с «Конде Наст». Каждая деталь этой свадьбы была определена с помощью голосования в социальных сетях. Мы разместили видео пар, которые рассказывали о том, почему именно они должны выиграть свадьбу мечты, и создали опросы для выбора торта, цветов, платья невесты, оформления зала, цветовой гаммы и т. д. Итоговую свадебную церемонию транслировали на «Фейсбуке» в режиме онлайн, и аудитория исчислялась миллионами. Качество видео не уступало телевизионному. Естественно, для подобного мероприятия необходимы были участники, которые не только любят и умеют выступать на публику, но и готовы были позволить незнакомцам решать все за них. Торжество прошло великолепно. Свадьба получилась красивой, а зрители переживали происходящее так, словно присутствовали на ней вживую, сидя при этом на диване в своей гостиной на другом конце света.

В эру «Фейсбука», чтобы не обидеть друг друга, парам приходится обсуждать, возможно, приземленные, но в то же время очень важные вопросы технологического этикета: «Когда стоит разместить в Сети общую фотографию?», «Можно ли поставить совместный снимок на аватарку?», «А что, если мы целуемся на фото?»

На последний вопрос я отвечу прямо сейчас: нет. Не благодарите.

Если говорить серьезно, разное отношение супругов к Интернету может привести к серьезным трениям в реальной жизни. Хотите мира — обсуждайте все, что собираетесь опубликовать. И не имеет значения, выкладываете ли вы обычно в Сеть совместные фотографии и рассуждаете на публику о безграничной любви, или же принципиально не приемлете любых проявлений ваших чувств в Интернете.

В разговорах нет ничего сложного, однако многие вообще никогда не обсуждают подобные вещи. Чем больше мне рассказывают страшных историй, тем сильнее я убеждаюсь в том, что те, кто умеет устанавливать границы частной жизни в Сети, прекрасно справляется и с поддержанием долговременных романтических отношений.

Иногда люди в порыве чувств делятся тем, что лучше было бы оставить за закрытыми дверями. В эру смартфонов люди не просто раскрывают о себе больше, иногда они раскрывают глубоко личное. Я имею в виду секстинг[1]. Многие взрослые (не дети!) посылают друг другу фотографии некогда интимных частей их тела. Слово «дикпик»[2] сегодня уже стало расхожим термином. Посмотрите в словаре сленга, если не верите.

Секстинг — одно из самых опасных явлений сегодняшнего времени. Чаще всего такое поведение разрушает пары. Но если уж вы решились на такой эксперимент, убедитесь для начала, что партнер разделяет ваши взгляды. И ни в коем случае не забывайте о доводах рассудка. Не стоит публиковать того, о чем потом вы можете пожалеть. Если даже конгрессмен Энтони Винер, послав фотографию своего «друга», не смог удержать все в секрете, то для обычных людей подобная откровенность и во-

---

[1] Секстинг — обмен сообщениями или фотографиями интимного содержания.

[2] «Дикпик» (англ. Dickpic) — картинка с изображением мужского полового органа.

все большая ошибка. (Хотя, если уж говорить начистоту, не такая большая, как кажется!)

Убедитесь, что ваш профайл содержит верную информацию

В конце концов все рассуждения вновь возвращаются к вопросу о личности.

В эру отношений напоказ наши сильные и слабые стороны открыты для любимых. И если в Сети вас воспринимают как пару, это формирует некую новую общность — коллективную личность вашей пары. Развитие каждого из ее членов создает новые проблемы. В Интернете человек может узнать о вас факты, которые ему не понравятся, и, естественно, от этого пострадают ваши взаимоотношения. Хорошо, если партнер предоставит вам возможность объясниться. Трудно не судить о книге по обложке, а сегодня обложка — это информация и фотографии в Интернете.

Правдивое отражение собственной личности помогает нам разыскать в Сети близких по духу людей. Понимание личности другого повышает наши шансы найти человека со схожими интересами, желаниями и ценностями — того, с кем хотелось бы разделить свою жизнь. С другой стороны, если вы всегда говорите только правду — в Сети и в реальной жизни, — лучше бы вам завести телохранителя.

Сила «Фейсбука» с самого начала заключалась в том, что люди использовали реальные имена и правдиво описывали свои характеры и интересы. Именно поэтому пользователи легко находили друзей, добавляли их в контакт-лист и уже потом решали, продолжать общение в реальной жизни или нет. Со свиданиями все так же. Чем больше вы о себе напишете, тем больше вероятность, что кто-то заинтересуется вами. Потом завяжется диалог, а за ним, возможно, последует встреча.

Романтическое общение в Сети напоминает финальное интервью при устройстве на работу. Эмоции и ожидания зашкаливают. Это жесткий процесс. Если вас что-то не устраивает, достаточно нажать одну кнопку и вы перейдете к изучению бесчисленного количества других кандидатов. Подобный ход вещей автоматически ликвидирует соревновательный аспект и позволяет многим людям представить себя в наиболее выгодном свете.

Нет ничего плохого в желании как-то выделить себя. В наши дни такова цель. Но если люди начинают врать о себе в Сети, это создает вполне реальные проблемы. Что же самое важное при выстраивании современных отношений? Быть собой как в Сети, так и в жизни.

«Фейсбук» правдив. И причина этого заключается в том, что пользователи развивают в интернет-сообществе культуру самоидентификации. Ожидания должны оправдываться. Каждый, кто говорит честно и откровенно, ожидает такой же откровенности от своих друзей. Но, если мы не имеем для этого никаких гарантий, всякий начинает придумывать что-нибудь эдакое. Легкое увлечение «Властелином колец» вдруг превращается в любовь к средневековому фольклору, редкие попытки сварить спагетти — в интерес к кулинарии. Ну а если парень за последний месяц пару раз побывал в спортзале, он с чистым сердцем может написать, что собирается побить рекорд «Железного человека».

Так и начинаются проблемы. Люди, публикующие ложные или неточные сведения, в конце концов попадают в западню. В лучшем случае их вынуждают объясниться, в худшем — они начинают общаться с такими же лжецами. На самом деле при личной встрече сразу станет очевидно, что до «Железного человека» вы не дотягиваете. А вот поддельную фотографию люди заметят сразу.

В конце концов правда всегда выплывает наружу. Если вы начинаете строить отношения в таком ключе, не удивляйтесь, когда кто-нибудь подловит вас на лжи. В мире цифровых возможностей это не так уж сложно. Ваши сетевые поступки оставляют следы по всему Интернету, и увидеть их можно в «Фейсбуке», «ЛинкедИне», «Твиттере», «Инстаграме» и всяческих блогах. Кажется, факты так и просят, чтобы кто-нибудь проверил их в «Гугле», изучил и сопоставил. Так что никогда не лгите о себе в Сети. Правда всплывет в реальной жизни.

Помните, что ваша личность больше вам не принадлежит. Собственные фотографии и посты — это лишь часть истории. Куда интереснее сообщества, в которых вы состоите, комментарии, которые оставляете к чужим публикациям. Они говорят о многом. Сегодня о нас судят не по тому, что сообщаем мы сами, а по тому, как отзываются о нас другие.

Если вы подтасовываете факты, добавляя в друзья незнакомых людей или тех, с кем встречались раз в жизни в далеком прошлом, это может ввести в заблуждение ваших настоящих друзей. Полагая, что вы дружите с кем-то, на основании сведений из Интернета, они могут ошибочно почувствовать доверие к такому человеку и обмануться в нем. С другой стороны, если незнакомец утверждает, что он друг вашего друга, постарайтесь проверить это как можно скорее. Просто на всякий случай.

Будьте осторожны по отношению к тем, кого пускаете в свою жизнь, к своим постам и фотографиям. На всех этапах взаимоотношений, как в Сети, так и в обычной жизни, ценится правда и только правда.

Есть люди, которые в Интернете ведут себя с вами панибратски, но при этом в жизни вы практически не общаетесь. Наверное, у каждого из нас хоть раз появлялся такой «друг». Людям этого сорта нравятся чуть ли не все ваши фотографии и ретвиты, они влезают со своими комментариями в любой диалог и отмечают вас на снимках, где вас нет и в помине, просто потому, что «душой вы были там».

Советы для достижения баланса в романтических отношениях

Проявляйте себя с лучшей стороны, но не изменяйте своей натуре

Профайл в Интернете должен отражать реальную личность. Чтобы добиться успеха на сайтах знакомств, старайтесь демонстрировать свои лучшие стороны, но не пытайтесь казаться тем, кем не являетесь. Это рискованно, но риск оправдается на все сто, когда вы встретитесь со своей интернет-любовью и вам не придется играть роль. Примерять маски весьма утомительно. Кроме того, в век цифровых технологий выявлять проколы и несоответствия стало проще простого. Так что правда все равно выплывет наружу.

Общение не может заменить близости

Телефон может стать прекрасным средством общения с любимым человеком. Но тут кроется подвох. Убедитесь, что ваша вторая половинка разделяет ваши взгляды на общение в Сети и находится с вами на одной волне. Ведите себя разумно, уберите технологические устройства из спальни, будьте готовы вовремя отложить телефон и восхищаться человеком, который сидит напротив вас за обеденным столом.

Разрывайте связи при необходимости

В прошлом после расставания с человеком никто не копался в его фотографиях и не пытался следить за всей последующей жизнью возлюбленного. В Сети следует поступать точно так же. Не стоит просматривать страницы «бывших», это может повредить здоровью. Ваша экс-любовь будет улыбаться вам с фотографий вечеринок, куда вас не пригласили, на ее стене появятся записи от незнакомых людей, а в обновлениях вы случайно наткнетесь на фотографии своего преемника. Не пытайтесь войти дважды в одну и ту же реку. Разрывая связи в жизни, делайте то же самое и в Сети.

Личная жизнь — не шоу для друзей

Рассказывая о своих отношениях, вы демонстрируете друзьям, что ваша жизнь наполнена смыслом, любовью и счастьем. Но чересчур увлекаться процессом не стоит. Друзей это начнет раздражать, а отношения будут разрушены. Храните чудесные моменты в своем сердце. Единственный человек, с которым действительно стоит поделиться этими воспоминаниями, находится рядом с вами.

Держите «в друзьях» только настоящих друзей

Давайте представим, что на «Фейсбуке» у вас в друзьях есть некий Роджер, с которым вы встречались лишь однажды. И вот Роджер знакомится на вечеринке с Лаурой — вашей действительно близкой подругой. Она весело проводит время с Роджером, а потом возвращается домой и находит его у вас в друзьях. «Здорово, — думает она. — Наверное, Роджер — хороший парень». С этого момента Лаура начинает испытывать к Роджеру неоправданное чувство доверия, потому что считает его частью вашего круга. Включайте «в друзья» только тех, кого хорошо знаете, чтобы не вводить в заблуждение по-настоящему близких вам людей.

В заключение хотелось бы сказать, что мы — это мы. Неважно, в реальной жизни или в виртуальной. Ваша личность и внутреннее состояние не меняются, когда вы отправляетесь в Интернет на поиски второй половинки. Если вы считаете свои поступки в Сети продолжением обычной жизни, значит, вы интуитивно понимаете, как следует себя вести в виртуальном мире. Просто сконцентрируйтесь на общении с новыми людьми и слушайте свое сердце.

В начале этого года люди вдруг активно заговорили о «кэтфишинге»[1]. Произошло это после того, как известный американский футболист Манти Тео вдруг обнаружил, что девушка, с которой он общался в Сети целых три года и которая якобы умерла от рака, на самом деле была парнем, решившим примерить на себя новый образ. Думаю, не стоит упоминать, что никаких романтических отношений между ними не было, ведь девушка просто не существовала в природе.

Ложь в Сети может больно ранить чье-то сердце.

Разрывать отношения сложно

Одна из наиболее болезненных тем онлайн-этикета — это разрыв отношений. Несмотря на всю свою болезненность, тема эта очень важна. К сожалению, отношения не всегда складываются так, как нам хочется. Бывает, что любовь не приходит. В таких случаях мы стискиваем зубы, хватаем зубную щетку, фен и... Но прежде чем перейти к решительным действиям, необходимо сделать трудный шаг: распутать клубок ваших переплетенных онлайн-жизней.

Жизнь после разрыва может быть невыносимой. Еще недавно вы были частью онлайн-пары. Вы публиковали совместные фотографии, жили в одном времени, посылали друг другу милые публичные поздравления на День всех влюбленных.

---

[1] В России термин больше известен под названием «троллинг».

У вас были общие друзья и знакомые — все, что вас окружает, было частью ваших отношений.

Многие распавшиеся пары пытаются поддерживать связь в Сети даже после того, как все контакты в реальной жизни прекращены. Им кажется, будто общение в Интернете не может принести никакого вреда. Но для того чтобы разорвать отношения по-настоящему, необходимо разрушить общность пары, ее сетевой образ. Исследования подтверждают, что лишь после этого наступает исцеление и человек полностью освобождается от груза прежних отношений.

Ученые из британского Брюнельского университета доказали, что, оставаясь друзьями с экс-возлюбленными, мы «испытываем громадный стресс, больше негативных эмоций по поводу разрыва и сексуальное желание по отношению к бывшему партнеру, а потому не можем развиваться как личность».

Если вы разошлись, но продолжаете поддерживать дружеские отношения в «Фейсбуке», представьте, как больно будет увидеть, что ваш «экс» веселится с друзьями без вас или обнимается с кем-то другим. Всем своим видом этот человек будет напоминать вам о том, что вы потеряли, — о вашей прежней общей онлайн-жизни. Неужели вы готовы к этому?

А как же пары, которые ведут на «Фейсбуке» общий блог или профайл? Недавно адвокаты по разводам сообщили интересный факт: сегодня в процессе развода все чаще всплывает вопрос, кому из супругов принадлежат имущественные права на созданные парой общие учетные записи в социальных сетях. Тем самым общие профайлы приравниваются к другому ценному имуществу.

Исследования агентства «Кью-Эм-Ай» показали, что 45% людей были бы рады возобновить общение с «бывшими» через «Фейсбук», однако мысль о том, что их текущий партнер попытается сделать то же самое со своим «бывшим», вызывала у них яростное негодование.

Нетрудно заметить, что технологии оказывают ощутимое влияние на нашу жизнь, однако в романтической сфере это влияние более интенсивно. Технологии помогают нам отыскать любовь и близких по духу людей и в то же время способны разбить чье-то сердце и разрушить мечты. Любовные взаимоотношения в современном мире становятся более сложными и запутанными, а поиск партнера в Сети — рискованным делом.

Однако, имея понимание того, что вы представляете собой в Интернете, транслируя в мир верную информацию и оставляя в жизни место для настоящей близости, вы сможете выстроить технологический баланс, который станет краеугольным камнем успешного общения в век цифровых технологий.

Глава 7

точка семья

Ультрасовременная семья

В 2011 году, через несколько месяцев после рождения Ашера, мой друг Хуман попросил меня сыграть небольшую роль в фильме «Олив», сценаристом и режиссером которого он был. Я всю жизнь мечтала сняться в кино, а эта картина еще и была особенно классной: она стала первым полнометражным фильмом, снятым на смартфон.

Я должна была появиться лишь в одной сцене, а потому меня пригласили на площадку только на один день. Но сцена была важной, и мне предстояло работать рядом с известной актрисой, обладательницей «Оскара» Джиной Роулендс. В тот день я приехала в студию рано. Роль продавщицы туфель приводила меня в неописуемый восторг. Я чувствовала себя обаятельной и чарующей, все время прокручивала в памяти свои реплики и вспоминала ту действительно классную камеру мобильника, на которую снимали кино. Но когда пришло время идти в костюмерную, меня вдруг посетила жуткая мысль. Я не брила ноги уже несколько дней. Так что ничего чарующего во мне не было. Я была отвратительна.

Поймав девушку из обслуживающего персонала, я робко попросила ее сходить через дорогу в «Уолгринс» и купить мне бритву.

Девушка рассмеялась:

— Ох, чего только не происходит на съемочной площадке, но это что-то новенькое!

Я попыталась пробормотать что-то в свою защиту:

— Ну, понимаете, я только недавно родила ребенка...

Однако девушка в этот момент уже перебегала улицу. Было понятно, что позже она обязательно расскажет друзьям об экзальтированной мамаше, с которой столкнулась на съемках.

К счастью, все прошло прекрасно. Обычно фильм снимают с нескольких точек, чтобы потом можно было показать действие под разными углами. Но в случае с мобильным телефоном в вашем распоряжении только одна камера и один угол. Поэтому все должно быть отточено до мелочей. Увидев конечный результат, я поразилась, как здорово выглядел отснятый на мобильник материал на большом экране. Мы проделали серьезную работу. Никто никогда бы не сказал, что продавщица обуви на экране — обыкновенная мать, которая из последних сил пытается балансировать между плюсами и минусами семейной жизни в современном цифровом мире.

Вы спросите, как технологии влияют на семейную жизнь и воспитание детей? Как вы уже поняли, есть плюсы и минусы, сложные проблемы и удивительные возможности. Но прежде чем перейти дальше, давайте запомним одну вещь (этот урок я выучила на съемочной площадке): нельзя получить все сразу.

Вы не можете уделять внимание всем одновременно, ведь подчас трудно найти время даже на себя лично. Возраст, семейное положение, пол, финансовые возможности и биография не имеют значения. Всем нам приходится делать выбор. Всех тех, кто пытается совместить домашний быт, работу и личную жизнь, не принося никаких жертв, в конце концов ждет разочарование.

Я следую простой мантре. *Работа. Сон. Семья. Друзья. Фитнес.*

Из списка нужно выбрать три пункта.

Иногда Ашер играет в песочнице со своими игрушками, поднимает голову и говорит: «Печенье?» Я терпеливо объясняю, что он не сможет взять печенье, пока не закончит играть в песке. Делая одно дело, иногда бывает невозможно отвлечься на что-то другое — приходится выбирать.

Каждое утро, стоя с затуманенным взором перед зеркалом, я вспоминаю свою мантру и думаю о том, как лучше расставить приоритеты. Я вижу это так: работа, сон, семья, друзья и фитнес — вещи совершенно необходимые. Однако заниматься ими каждый день невозможно. В противном случае вы будете делать все не очень хорошо. Поэтому каждое утро я размышляю, какие три пункта выбрать и чем заняться сегодня. Естественно, если это рабочий день, выбор невелик. Однако я могу выбирать, как провести свободное время, утро и вечер до и после работы.

Этот утренний ритуал появился в то время, когда я забеременела Ашером, то есть летом 2010 года. За следующие девять месяцев я ездила в командировки более двадцати раз, и некоторые из них были зарубежными. Когда я была на третьем месяце беременности, мне пришлось отправиться в Нью-Йорк на встречу с Андерсоном Купером. Потом я села в самолет и полетела в Лондон, потому что на следующий день у меня были назначены переговоры в Министерстве иностранных дел. На четвертом месяце я представляла «Фейсбук» на премии «Золотой глобус» (и отчаянно пыталась втянуть растущий живот, стоя рядом со стройной женщиной на красной ковровой дорожке). На пятом месяце я поехала на Международный экономический форум в Давосе, где в перерывах между встречами с мировыми лидерами дремала в уголке у нашего стенда, чтобы потом хоть как-то держаться на ногах. На седьмом месяце я отправилась на Юго-западную конференцию, где организовала для «Фейсбука» ток-шоу. Тогда я носилась по Остину в штате Техас и руководила съемками интервью со знаменитостями и политиками первого звена. А на девятом месяце я провела встречу с Обамой, из последних сил борясь с тошнотой, усталостью и жуткой болью в пояснице и ногах (Ашер давил мне на седалищный нерв).

Думаю, вы понимаете, что все это удалось мне лишь благодаря четкой и быстрой систематизации процесса. Я действительно умею расставлять приоритеты. В тот год чаще всего я выбирала работу и сон, периодически напоминая себе выделять время на Брента. Я не встречалась с друзьями и даже не думала о фитнесе. За период беременности я набрала около двадцати килограммов и с последними двумя борюсь до сих пор. Короче говоря, тот год оказался самым насыщенным за всю историю моей карьеры.

Я продолжаю следовать своей мантре, расправляясь с делами так быстро, как только возможно. Жизнь — гибкая штука, и порой нам удается сделать больше, чем ожидалось. И самое веселое в этом то, что каждое утро можно делать новый выбор: работа, сон, семья, друзья, фитнес.

Но разве можно жить полной жизнью и при этом не обделять вниманием детей и любимого человека? Как вырастить детей технически подкованными, не подвергая их при этом опасности? Как помочь детям обрести собственный технологический баланс?

Сразу скажу: у вас не получится успеть все и сразу. Но технологии способны оказать поддержку в том, что нужнее всего в данный момент. Если хорошо подумать, технологии можно использовать не только для решения ими же созданных проблем.

Помогут ли технологии облегчить семейную жизнь? Нет. Избавят ли вас от необходимости дарить детям любовь, внимание и заботу? Нет, конечно. Полезны ли технологии по определению? Ни в коем случае.

Технологии — это средство, и, для того чтобы использовать его правильно, нужно участвовать в жизни детей, учить их верно мыслить и вести себя в обществе. Тогда их знакомство с Всемирной паутиной окажется полезным и безопасным.

Точка сложности, 1990 год

Когда я была ребенком, у меня возникла идея выпускать семейную газету. В сущности, это был мой первый креативный проект. В те годы мне нравилось воображать себя настоящей журналисткой. Но поскольку все самые важные журналистские атрибуты — мягкая фетровая шляпа с надписью «пресса», винтажная камера и, в общем-то, сами подходящие истории для репортажа — у меня отсутствовали, я решила применить свои таланты в домашней среде.

Газета получила название «Полдюжины», по числу членов семьи. Как видите, я была довольно остроумным ребенком! Содержание тоже было ничего себе. В газете были две крупные рубрики: в первой публиковались сухие отчеты о грядущих семейных событиях и домашних делах (полезная часть), а во второй — веселые репортажи о жизни нашего дома (оригинальная часть).

«В холодильнике найден недопитый стакан апельсинового сока, — можно было прочесть в заголовке. — Виновный все еще разгуливает на свободе».

До Боба Вудворда[1] мне, конечно, было далеко, но пять человек, ради которых все это писалось, читали меня с упоением. Видеть, как ребенок с упоением сочиняет что-то помимо домашнего задания, — уже большое дело. Каждую неделю я садилась за компьютер отца, открывала «Майкрософт паблишер» и выдавала очередную страницу «новостей», которую потом печатала на черно-белом принтере и прикрепляла на дверь холодильника. Это было ни с чем не сравнимое чувство удовлетворения. И не важно, что я так никогда и не разгадала загадку недопитого апельсинового сока.

Оглядываясь назад, я понимаю, что та газета была предшественницей «Точки сложности».

Будь я ребенком сейчас, газета получилась бы совершенно другой. Это было бы нечто в сотни раз более утонченное. Вполне возможно, такой бюллетень мог бы стать настоящей летописью клана Цукербергов. Технологии позволяют нам создавать чудесные, профессионально выполненные работы быстро и качественно. Еще несколько лет назад такое было под силу только серьезным профессиона-

---

[1] Боб Вудворд — известный американский журналист-расследователь, редактор газеты «The Washington Post».

лам-дизайнерам. Сегодня мы делаем подобные
вещи на компьютере за несколько минут. И вместо
того чтобы крепить листок к холодильнику, можно
делиться новостями со своей семьей, близкими и
всеми остальными, кого вы еще захотите включить
в список получателей, через блоги, группы или
электронную почту.

И это только начало.

Технологии дарят нам уникальную возможность, которая почему-то воспринимается как
должное: мы получаем доступ к информации. Порой это доставляет семье некоторые трудности, но
пользы гораздо больше.

Я всегда говорю, что не важно, кто ты — мама
из Кремниевой долины, житель Оклахомы или
Токио, — в действительности все мы обычные
люди с одними и теми же вопросами о семье и
технологиях.

Люди не устают восхищаться тем, что их дети
прекрасно разбираются в технологических новинках. Один мужчина рассказывал мне, как помогал
своей девятилетней дочери опубликовать книгу на
«Амазоне» — в ее возрасте он мог о таком только
мечтать. Другая женщина сообщила, что ее тринад-
цатилетняя дочь создает дизайн мобильных приложений. И конечно же, все родители хвастаются
тем, что их дети используют гораздо больше технических новинок, чем они сами.

Тем не менее у людей по-прежнему остается
множество вопросов и проблем. Что вы думаете по

поводу такого-то и такого-то приложения, которым сейчас повально увлекаются дети? Как уговорить ребенка включить родителей в список друзей на «Фейсбуке»? Как обсуждать с ребенком темы кибербуллинга[1] и личностных границ в Сети?

Растить детей в современном, виртуализированном мире невероятно сложно. Мы — первое поколение родителей, чьи дети растут в Сети, пока каждое мгновение их жизни документируется, записывается и выкладывается во Всемирную паутину. Все это сильно отличается от нашего детства и потому сложно воспринимаемо, ведь жизнь в Сети для нас — своего рода испытание.

Мы — первое поколение родителей, чьим детям кажется совершенно нормальным общаться с другими людьми через компьютерный экран и чьи дети считают, что каждым экраном можно управлять прикосновением. А еще мы — первое поколение родителей, которых волнуют проблемы частной жизни, безопасности и анонимности в Сети. Десять лет назад всего этого просто не существовало.

Нам выпала судьба первопроходцев.

И кошка в колыбели...

В 2011 году исследователи «Джозеф Роунтри Фаундейшн» выяснили, что дети, видевшие родителей пьяными, вырастая, были в два раза более склонны

---

[1] Кибербуллинг — травля в Интернете (часто в среде школьников или военнослужащих).

регулярно напиваться. Как выяснилось, для этого детям было достаточно всего несколько раз увидеть своих родителей под действием алкоголя.

Это лишь один из примеров того, как поведение родителей влияет на привычки детей. Мы можем этого даже не осознавать, но поведение окружающих заразно. В процессе взросления дети сильно подвержены влиянию слов и действий. Хотим мы того или нет, осознаем или не осознаем, родительский пример оставляет отпечаток на личности наших детей и формирует их дальнейшее развитие.

Недавно нейробиологи занялись поиском биологических и социальных факторов, объясняющих это явление. Одна из причин заключается в «зеркальных нейронах» нашего мозга. Нейроны — это клетки мозга, с помощью которых мы думаем, общаемся, чувствуем и любим. Зеркальные нейроны играют среди них уникальную роль: они позволяют нам учиться через подражание. Когда мы видим, как кто-то едет на велосипеде, смеется или танцует, у нас появляется интуитивное ощущение того, как нам самим следует это делать, и, подражая, мы развиваемся.

Кроме того, родители влияют на развитие детей посредством культивации чувства общности и сопереживания. В 2007 году вышла журнальная статья под названием «Связь матери и ребенка и развитие моральных качеств в детстве и юности», где рассматривалось исследование доктора Рут Фельдман из Университета имени Бар-Илана. В исследовании говорилось, что, уделяя внимание ребенку, мы увеличиваем его способность к сопереживанию в будущем.

Кроме того, выяснилось, что интеллект ребенка развивается, когда он слышит голоса родителей. В 1995 году исследование Бетти Харт и Тодда Р. Рисли из Университета Канзаса, опубликованное в книге «Важные отличия в повседневном опыте юных американцев», показало, что чем больше слов ребенок слышит до трех лет, тем лучше он будет учиться в школе.

Взаимоотношения, родительское внимание и пережитый опыт оставляют глубокий след в умах и личностях наших детей. Если мы делимся с ними добрыми чувствами и эмоциями или просто разговариваем по душам, это можно считать подготовкой к жизни.

Естественно, все это не работает, если вы параллельно проверяете электронную почту.

Как часто вы ругаете ребенка за то, что он не может оторваться от телефона, а потом садитесь за обеденный стол, просматривая текстовые сообщения и отвечая на письма? Как часто вы заставляете детей выключить Интернет и сесть за выполнение домашнего задания, а потом сами теряете время в Сети? Как часто вы смотрите на экран смартфона, вместо того чтобы поднять голову и посмотреть в глаза своему ребенку?

Люди постоянно спрашивают меня, каких правил я придерживаюсь относительно техники. Сколько времени Ашеру разрешено играть в игры на смартфоне? Сколько сидеть за планшетом? Есть ли у него собственный айпад? Но никто не спрашивает меня, какие правила я устанавливаю для себя самой.

Поскольку Ашер еще слишком маленький, я решила, что важнее установить правила для нас с мужем, чтобы не позволять себе слишком долго сидеть за ноутбуком или уткнувшись в телефон. Едва я ловлю себя на том, что вместо общения с ребенком, который теребит меня за ногу или протягивает мне пазл, читаю сообщение или пост в блоге, я тут же вспоминаю слова песни Гарри Чапина «И кошка в колыбели, и серебряная ложка». В ней отец обещает сыну, что скоро закончит работу и освободится и тогда они будут вместе. Но в действительности это происходит лишь через много лет, и к тому моменту сын становится таким же занятым, каким раньше был его отец. Я понимаю, что когда-нибудь буду отчаянно пытаться привлечь внимание Ашера, а он отодвинет меня в сторону и уткнется в телефон.

В последней семейной поездке, когда мы решили использовать карту «Гугла» на телефоне мужа вместо навигатора, меня охватили противоречивые чувства. С одной стороны, без нее мы бы не нашли дорогу. С другой — мой муж настолько зациклился на своем телефоне, что практически не видел ничего вокруг. Прекрасные виды его не интересовали, и приключение превратилось в рутинную поездку. Я ужасно переживала из-за того, какой отвратительный пример мы подаем сыну.

Многие из моих друзей жалуются, что в День благодарения взрослые ведут себя хуже подростков: они постоянно проверяют телефоны, строчат сообщения и отвечают на электронные письма прямо за столом. В одном из недавних выпусков «Ю-Эс-Эй тудей» была напечатана жуткая статья о том, что взрослые отвечают на сообщения, будучи за рулем, куда чаще подростков. Эта проблема всегда считалась подростковой, но 98% взрослых, которые печатают сообщения во время вождения, признают, что прекрасно понимают, как это опасно. Хуже того, 30% мам продолжают набирать сообщения за рулем, даже если в машине находятся грудные младенцы или маленькие дети.

Осознать, что дети копируют наше поведение, и начать подавать хороший пример бывает порой невероятно трудно. Когда письмо с работы прожигает дыру в кармане или нужно немедленно ответить на важное сообщение, вспомните о пресловутом технологическом балансе. Мы должны стать примером для своих детей, показать им, как важно и необходимо живое общение между людьми. И что еще важнее, мы обязаны убедить их, что безопасность превыше всего.

Это вовсе не значит, что при ребенке нельзя пользоваться техническими средствами. Держать детей в изоляции от технологий не лучшая идея.

Не проходит и дня, чтобы в каком-нибудь сенсационном блоге или газетной колонке не объявили о вреде технологий. И причиной столь острой реакции становятся СМИ. В статье «Нью-Йорк таймс», датированной 22 октября 2011 года, один из администраторов «Гугла» высказался за то, чтобы из школьных классов убрали компьютеры. «Я никогда не поверю, что ученики начальной школы остро нуждаются в технических средствах, — сказал он. — Мысль о том, что айпад научит моих детей чтению или арифметике, просто смехотворна».

Однако такая точка зрения основывается на реальности, которой больше не существует. Технологии проникают во все сферы жизни, и изолироваться от них просто невозможно.

Начнем с того, что каждый, кто заявляет вам, будто ребенку нельзя позволять играть с телефоном или планшетом, скорее всего, сам никогда не имел дела с детьми. И никогда не летал на самолете. Знаете ли, сидя в салоне самолета с орущим ребенком на коленях, перестаешь заботиться о технологическом балансе. Особенно если полет предстоит долгий.

Я понятия не имею, как жила бы без «Скайпа». Сидя за рулем по дороге на работу, я мечтаю о том, как вечером выйду на несколько минут в «Скайп», чтобы увидеть мужа и сына и пообщаться с ними лицом к лицу. Честно говоря, я до сих пор не могу поверить в то, что наши дети растут в мире, где общение через компьютерный экран считается обыденным явлением. Для меня это по-прежнему магия. Но дети воспринимают ее как должное, ведь они взрослеют в этой среде.

У моего друга двухлетний малыш. Однажды они пришли к нам в гости, и ребенок увидел мой компьютер. Он показал на него пальчиком и сказал: «Дедушка!» Мальчик постоянно общался с дедушкой в «Скайпе» и искренне считал, что тот живет в компьютере.

Кто сказал, что технологии не помогут вам стать ближе с вашей семьей?

Но даже если бы у вас появилась возможность перекрыть детям доступ к технологиям, зачем идти на такие крайние меры? Если технические средства используются правильно, они приносят в нашу жизнь позитивные изменения. Это вовсе не означает, что технологии должны заменить личное общение и живой опыт, необходимый каждому ребенку на пути взросления. Технологии носят вспомогательную функцию, облегчают процесс обучения и развития, развивают интеллектуальные и творческие способности. Технические инновации создают новый вид культуры — культуру цифрового века, которая предполагает, что обучение и социальные навыки должны будут измениться коренным образом. Уже сейчас существуют замечательные компании, специализирующиеся на обучающих технологиях, и в ближайшие годы их число будет только расти.

Через десять лет процесс обучения, возможно, будет коренным образом отличаться от нынешнего. И это хорошо. Пути назад нет. А значит, нам придется принять грядущие изменения и вместе переосмыслить устаревший подход к воспитанию и развитию детей.

Реальность, в которой перекрывается доступ ко всем цифровым ресурсам, в будущем может доставить ребенку множество проблем, отбросив его на обочину жизни. Ни один родитель не пожелает такой судьбы своему чаду. Мы не можем ждать, пока ребенку исполнится три или четыре года, чтобы начать обучение речи. Если технологии — это язык будущего, зачем откладывать его изучение? Зачем перекрывать ребенку доступ к средствам, которые используются во всех областях жизни, начиная с построения взаимоотношений и заканчивая карьерой?

Айпад, конечно, не может заменить няню, но он также не является и чем-то вредоносным. Я поражаюсь тому, как лихо мой маленький сынишка управляется с телефоном, залезает в приложения и передвигает картинки на экране. Если все дети в его классе будут знать, как это делается, почему я должна растить его изгоем? Чем быстрее дети освоят новейшие технологии, научатся обращаться с ними ответственно и вдумчиво, тем больше у них шансов стать успешными людьми и реализовать свой потенциал.

Недавно я участвовала в дискуссии на эту тему, и в разгар обсуждения получила сообщение от подруги из Феникса, штат Аризона. Она прикрепила к сообщению фотографию своего приемного пятилетнего внука. Вопрос ее звучал так: «Неужели этот ребенок уже отстал от жизни?» Женщина спрашивала о том, как быть тем детям, родители которых не в состоянии обеспечить их техническими средствами. Уровень дохода в таких семьях очень низок, и детям приходится проводить весь день в детском саду, где не закупаются инновационные приборы. Кроме того, существуют и другие семьи — семьи, где родители не считают наличие технических средств важным и необходимым, а потому не имеют их дома.

Моя подруга подняла интересный вопрос. До этого я имела дело в основном с хорошо обеспеченными семьями, и наша дискуссия всегда крутилась вокруг темы «Не слишком ли много времени мой ребенок уделяет техническим новинкам?». Теперь передо мной встала другая, не менее актуальная и важная проблема — проблема родителей, которые спрашивают себя: «Достаточно ли подкован мой ребенок в технологиях?»

Они занимаются тем, на что у детей из более благополучных семей попросту не хватает времени — к примеру, играют на улице с соседскими детьми, — однако это не поможет им подняться вверх по социальной лестнице и стать частью среднего класса, куда так отчаянно стремятся попасть их родители. Чтобы избежать подобной участи, этим детям следует развивать те же [технические] навыки, которыми обладают их более обеспеченные товарищи. Айпады и устройства на «Андроиде» никак не повредят умению выстраивать человеческие взаимоотношения с людьми. Для моих любимых внуков они являются необходимыми инструментами, помогающими им гармонично развиваться в мире, где их родители борются за жизнь.

Фрэнсин Хардуэй

Естественно, это не значит, что технические средства должны мешать ребенку заниматься тем, что ему необходимо в силу возраста. Я абсолютно согласна с людьми, которые говорят: «Это же дети! Они должны бегать по улице и играть! Просто отправьте их на задний двор с бейсбольной битой и корзиной мячей!» Для маленьких детей технологический баланс заключается в том, чтобы на первом месте всегда стояла жизнь и лишь потом — технологии.

Наш родительский долг заключается не только в том, чтобы исполнять роль живого образца для подражания, но и в том, чтобы помогать детям принимать верные решения в различных ситуациях. Вы наверняка успели убедиться на собственном примере, что соблюдение технологического баланса сегодня является необходимым навыком для человека любого возраста. Чем раньше дети начнут осваивать эту науку, тем лучше.

Мы живем в реальном мире. Изучение технологий и обсуждение плюсов и минусов различных гаджетов и веб-сайтов может принести детям огромную пользу. Но не забывайте и о себе. Подходите к использованию технологий осознанно и разумно. Не забывайте, что нормы поведения в цифровом мире дети перенимают у нас.

Делитесь с умом

Первое, на что стоит обратить внимание каждому родителю, — это информация, которой он делится в Сети.

Работая в «Фейсбуке», я всегда старалась поправлять людей, которые считали, будто наш сайт — это все та же первоначальная программа для студентов. Достаточно было просмотреть данные нескольких сот пользователей, чтобы понять, кто является его основной аудиторией. Да, именно мамы. Молодые мамы в среднем проводили на «Фейсбуке» около двух часов в день. При этом обыкновенный пользователь тратит на посещение сайта не более сорока минут в день. Но мамы очень любят делиться моментами своей жизни и обсуждать своих детей.

Они выкладывают на сайт огромное количество эхограмм[1], детских фотографий, советов по выбору прогулочных колясок и иллюстрированных инструкций по обучению пользованию горшком. Все мы это видели. Пожалуй, у каждого из нас есть друзья, которые считают, что нет такой детали в жизни их детей, которой не стоило бы поделиться со всем миром.

---

[1] Эхограмма — метод ультразвуковой диагностики, который используется для изучения и определения местоположения органов.

Бывало, и я перегибала палку. На пятом месяце беременности я повернулась к мужу и сказала:

— Ни за что на свете не стану одной из тех мам, которые забывают о собственной жизни и начинают публиковать на сайте миллион детских фотографий. У меня есть карьера. Есть личная жизнь. Я слишком занята для этого.

— Конечно, ты станешь одной из тех мам, — мягко ответил муж, — и это будет восхитительно.

Нетрудно догадаться, что через четыре месяца после этого мой профайл на «Фейсбуке» превратился в нескончаемый поток детских фотографий и горячих благодарностей всем, кто прислал в подарок очаровательные ползунки. Впрочем, это неудивительно — в то время я спала по два часа в сутки.

И все-таки несколько раз Интернет здорово меня выручил. Однажды я проснулась посреди ночи, чувствуя себя на грани жизни и смерти. У меня были проблемы с грудным вскармливанием, и я догадывалась, что мастит мог нагрянуть в любую минуту. На дворе было три часа ночи, позвонить я никому не могла и потому решила искать совета на сайте «Веб Эм-Дэ». Реакция окружающих поразила меня в самое сердце. Десятки людей прокомментировали мой пост, выразив сочувствие и поддержку. Естественно, были и советы. Некоторые из них оказались очень ценными, но самое главное — я почувствовала, что не одинока. Рядом были друзья, готовые поддержать и посочувствовать.

Не поймите меня неправильно. Чужие откровения могут быть полезны многим из нас. Особенно если они достаточно интересны, чтобы сделать зарубку в памяти (или все десять). Теперь, видя замученную «фейсбуковую» маму (с которой мы очень похожи), я стараюсь поставить себя на ее место. Если излишние откровения помогают получить полезный совет или необходимую в тяжелый момент поддержку или просто посмеяться... то кто я такая, чтобы судить человека?

Все мы бывали в сложных ситуациях. Никто не совершенен. Жизнь — хаотичная, запутанная и одновременно восхитительная штука. На «Фейсбуке» столько людей пытаются выставить себя идеальными родителями, что я порой до глубины души благодарна тем, кто говорит правду, какой бы неаппетитной она ни была.

Я была свидетелем ситуаций, когда такие откровения спасали человеческие жизни. В 2011 году мама из Нью-Йорка Дебора Копакен Коган выложила в Сеть фотографии своего больного сына Лео. Врачи поставили ему диагноз «острый фарингит», но после трех дней лечения лучше ему не стало. Один из друзей этой женщины увидел пост и по опухшему лицу мальчика предположил, что у него редкое и смертельно опасное аутоиммунное заболевание, которое называется «синдром Кавасаки». Мужчина настоятельно порекомендовал Деборе отвезти сына в больницу, где Лео назначили лечение, и вскоре он пошел на поправку.

Но прежде чем писать откровенные посты в Сети, подумайте вот о чем. Дети копируют наше поведение. Нельзя расписывать все подробности личной жизни в Интернете, а затем поворачиваться к ребенку и отчитывать его за те же самые действия. Это ведет к нарушению технологического баланса и несет в себе угрозу. А значит, наш долг — уберечь от этого своих детей.

Вы также должны понимать, что далеко не каждый человек желает узнавать все детали. Излишнее стремление делиться подробностями личной жизни может привести к тому, что друзья станут пропускать ваши излияния в «Ленте новостей» и станут реже читать ваши посты. Возможно, это не сильно вас огорчит, но задуматься все-таки стоит.

Хотя отсутствие взаимопонимания с друзьями, несомненно, важная проблема, гораздо опаснее то, что своими действиями родители формируют будущую онлайн-личность ребенка. Этот процесс длится не один год. Выкладывая в Сети обнаженные фото малыша, вы должны учитывать, что кто-то может скопировать снимок или сделать скриншот, и тогда поисковик «Гугла» будет выдавать эти изображения по запросу имени вашего ребенка еще очень долго. Возможно, всю его оставшуюся жизнь.

Существует сайт блогов под названием «Эс-Тэ-Эф-Ю, Родители», на котором собираются худшие примеры излишней родительской откровенности. Вот, например, один из постов с «Фейсбука»: «Еще один первый шаг! Монстрик Лула обкакалась в ванной! Какое счастье, что она сделала это не в постели!»

И это далеко не самый жуткий пример. Через несколько лет Монстрик Лула может очень сильно обидеться на маму, которая опубликовала в Интернете данные, навсегда запятнавшие онлайн-личность девочки.

Личность ребенка в Сети начинает формироваться задолго до того, как он учится делать выбор. Фактически, с самого его рождения. Поэтому нужно с самого начала с умом делиться деталями из жизни наших детей.

Будущие родители скрупулезно продумывают, как объявить в Сети о том, что они ждут ребенка. А значит, в будущем наши дети смогут оглянуться назад и просмотреть не только свои детские фотографии, но и все фотографии с того момента, как мир узнал, что они только собираются появиться на свет.

Обнаружив, что беременна, я загорелась желанием поделиться этим открытием на «Фейсбуке». Несколько дней я прокручивала пост в голове, воображая, как меня тут же засыплют поздравительными комментариями. Но, когда дело дошло до публикации, меня вдруг охватил страх. Я поняла, что некоторые из друзей обидятся, узнав о таком важном событии из общего поста на «Фейсбуке». Тогда мы с Брентом решили обсудить, кто из друзей должен узнать обо всем при личной встрече, а кому будет достаточно телефонного звонка, электронного письма или поста на «Фейсбуке». В итоге мы составили длиннющий сложный список (после работы в «Маккинзи» мой муж стал настоящим знатоком «Экселя», чему я была очень рада).

Как только с личными звонками было покончено, я приступила к созданию остроумного, задорного и одновременно сентиментального поста. У меня не было милой собаки, которой можно было бы засунуть в зубы табличку с надписью: «Я собираюсь стать старшим братом» и не было времени, чтобы написать на животе: «Ожидайте в мае», поэтому я остановилась на двух фотографиях.

На первом снимке я стояла на офисной стоянке «Фейсбука» рядом с одним из парковочных мест для «будущих мам» и изо всех сил старалась посильнее выпятить живот. На втором были я, мой муж, брат и ныне жена моего брата Присцилла — мы праздновали событие в маленьком тихом баре. Это был 2010 год, и в тот момент журнал «Тайм» как раз назвал Марка человеком года. В связи с этим я подписала вторую фотографию: «Праздник с человеком года! (А также с девушкой года, мужем года... и эмбрионом года! Ура!!!)».

Интересно, что подумает об этом Ашер, когда вырастет? Однажды он, вполне возможно, решит посмотреть свои первые фотографии и зайдет на «Фейсбук»...

Сегодня многие вещи считаются приемлемыми. Есть родители, которые объявляют о долгожданной беременности по четко выстроенному плану. Есть те, кто заявляет: «Я хотел назвать ребенка XYZ, но домен оказался занят, поэтому нам пришлось выбрать другое имя» или «Прежде чем рассказать, на каком имени мы остановились, я должен убедиться, что у моего ребенка будет приличный адрес в "Гмейле" и "Твиттере"». Выбор имени для ребенка теперь больше напоминает план по захвату территории. Будущие мамы и папы выдумывают уникальное имя, а затем пытаются «застолбить участок» в «Гугле».

Раньше я считала, что это ужасно, но теперь изменила свое мнение и думаю, что такое поведение вполне приемлемо. Таким образом родители проявляют ответственность перед детьми. Всегда считалось, что имя формирует личность и характер человека. Сегодня, зная лишь имя человека, вы можете познакомиться с ним поближе, выяснив о нем все через Интернет. Имя становится своего рода имуществом, ценным как в жизни, так и в онлайн-среде.

Не бойтесь делиться подробностями жизни своего малыша. Но всегда думайте о том, что именно и зачем вы выкладываете в Сеть. Выбор, который вы делаете сейчас, отразится на всей дальнейшей жизни вашего чада и будет влиять на него еще долгие годы.

На пути в интернет-джедаи

Все, о чем писалось выше, крайне важно и ценно. Но слона мы все еще не приметили. Как же научить детей пользоваться технологиями, защитив их при этом от угроз виртуальной реальности? Как, не ограничивая свободы действий в Интернете, оградить их от потенциальных опасностей?

Чтобы ответить на этот вопрос, давайте вернемся в те времена, когда в современном смысле Интернета еще не существовало.

Давным-давно в далекой-далекой галактике... Под далекой галактикой здесь я понимаю городок Доббс Ферри образца 1990-х годов. Когда мне было пятнадцать лет, мы с братом и младшими сестрами решили снять любительское кино. На меня легла ответственность за создание космического эпоса с харизматичными, героическими персонажами. Каждый из них должен был иметь свой уникальный характер и костюм. Брат и сестры учили свои роли минут по двадцать в день и были крайне увлечены процессом. После обеда у них оставалось достаточно времени, чтобы порепетировать и успеть сделать домашнее задание. Никто из нашей команды не боялся получить судебный иск от Джорджа Лукаса, хотя фильм и назывался «Звездные войны. Силогия». В действительности это была лишь глупая пародия[1] на трилогию «Звездные войны».

Шел 1997 год, и в прокат вышла новая версия «Звездных войн» с использованием спецэффектов. Для многих детей эти «Звездные войны» стали первыми в жизни. Ну а для взрослых это был шанс воскресить воспоминания юности. Мир буквально помешался на Хане Соло, Люке, Лее, Чубакке,

---

[1] Силогия (англ. silogy), от слова «silly» — глупый, дурацкий.

Р2-Д2 и Си-Три-Пи-О. В доме Цукербергов царили те же самые настроения, и не помогал даже просмотр новых фильмов. Мы просто слетели с катушек и не могли говорить ни о чем, кроме световых мечей, вуки и Йоды.

Затем увлечение перешло на новый уровень. Папа позволил нам воспользоваться старой видеокамерой, и мы решили снять силогию. Меня назначили главной. Это был мой режиссерский дебют.

Кастинг прошел легко и быстро. Марк играл Люка. Донна — принцессу Лею, а также Оби-Вана Кеноби (ее длинные волосы легко можно было обернуть вокруг головы так, чтобы получилась борода). Я была уже несколько старовата для подобных спектаклей, но все равно настояла на том, чтобы сыграть Дарта Вейдера и Хана Соло. Может, со стороны режиссера было несправедливо забрать себе две лучших роли в фильме, но, если уж говорить честно, любой из нас был счастлив избежать той роли, которая досталась Ариэль. Она играла Р2-Д2.

Чтобы добавить сходства, мы посадили ее в жестяную бочку для мусора. Ариэль была не в восторге, но чего не сделаешь ради искусства!

Что можно сказать о достоинствах и недостатках картины? Чтобы воспроизвести классическое начало «Звездных войн», мы распечатали текст на папином матричном принтере и медленно прокрутили лист перед камерой. Мы даже не попытались скрыть тот факт, что текст напечатан на бумаге для принтера. Естественно, никому и в голову не пришло убрать поля.

Но вот что хочу сказать: несмотря на кошмарную игру актеров, дурацкие костюмы и спецэффекты, это был самый грандиозный и самый запоминающийся проект, который мы сделали в детстве. Мы написали сценарий, продумали сцены и выполнили всю техническую работу от начала и до конца. И получили солидный опыт.

Мне кажется, силогия «Звездные войны» — это яркий пример правильного использования технологий. Именно так детям легче всего учить техническую часть — создавая что-то новое, интересное и забавное. Этот проект сыграл огромную роль в развитии наших способностей и возможностей. Он подарил нам шанс учиться и экспериментировать. Конечно, это было рискованное предприятие, но наградой стало создание новой реальности, в которой мы стояли у руля.

Доктор Тереза Белтон, главный исследователь Школы обучения и жизненного развития при Университете Восточной Англии, провела серию интервью с писателями, художниками и учеными в попытке выяснить, как скука и безделье влияют на их жизни. Доктор Белтон пришла к заключению, что свое свободное время дети склонны тратить на создание творческих проектов, повинуясь велению души и наполняя свою жизнь творчеством и созиданием.

Если у ваших детей появится айпад, это вовсе не значит, что они включат «Нетфликс» и будут смотреть телеканал круглыми сутками. Айпад — это не телевизор. В нем есть приложения для рисования, создания текстов, сочинения музыки, чтения и научных исследований. Это стимулирует воображение любого заскучавшего ребенка. Виртуальное пианино по-прежнему остается пианино, как на него ни посмотри.

Родители предоставили нам возможность снять силогию и не вмешивались в процесс. Они видели все этапы проекта и вместе с нами посмеялись над конечным результатом. Мы не выложили этот фильм в Сеть (уж извините) и не сломали камеру. Да и наш Р2-Д2 не получил на всю жизнь комплекс из-за пребывания в бочке для мусора. Ну, я так думаю. Прости, Ариэль.

Теперь я понимаю, как умно поступил отец, позволив нам провести этот технологический эксперимент.

Если хочешь научиться ездить на велосипеде, сначала стоит посмотреть, как это делают родители, а потом поставить на велосипед дополнительные колесики. Вскоре ты научишься держать равновесие и колесики можно будет снять. Навык добавит тебе уверенности в собственных силах, а родители перестанут бояться за твою жизнь и здоровье. Никто больше не станет присматривать за тобой каждую секунду, и доехать до конца улицы не составит проблем. Став постарше, ты сможешь ездить в центр города за конфетами или в гости к другу. Родители к тому времени будут доверять тебе настолько, что уже не станут беспокоиться о том, где ты. Впрочем, родители всегда найдут повод для переживаний. И все же они смогут вздохнуть спокойнее, зная, куда ты едешь и с кем собираешься провести время.

Примерно так мы должны относиться к технологиям в жизни наших детей. Задача родителей — помочь своим чадам развить нужные навыки, не ограничивая их свободу, давая возможность рисковать и учиться на собственном опыте. Конечно, нам стоит быть в курсе того, чем дети занимаются в Сети, но стоять за плечом и контролировать ребенка каждую секунду уж точно не следует.

Поиск технологического баланса — трудная задача, и решать вопросы безопасности нужно в диалоге. Для начала стоит познакомить ребенка с чудесами и темными сторонами Интернета. Сеть — неисчерпаемый источник знаний, развлечений, инструментов и служб. Объяснив, как использовать их с умом, вы сделаете своему ребенку один из самых ценных подарков в жизни. Однако дети, несомненно, должны понимать, что в Интернете существуют свои опасности.

В Сети люди могут прятаться за маской анонимности, чтобы провоцировать травлю окружающих. В Интернете можно наткнуться на отвратительных личностей и мерзкие сайты, где содержится крайне ненадежная информация. Точно так же, как мы учим детей читать, мы должны знакомить их с основами виртуальной грамотности, помогать им отличать плохое от хорошего и наоборот. Дети должны понимать, какую информацию стоит или не стоит публиковать в Интернете, чтобы не причинить вреда себе и остальным.

Однако учить наших детей мы сможем лишь в том случае, если у нас самих будет достаточно знаний и опыта. Однажды я включила в рассылку «Точка сложности» статью о том, как разговаривать с детьми о публикации откровенных фотографий в Интернете. В ответ мне пришло электронное письмо от одной мамы, которая поделилась со мной жуткой историей. Однажды ее семилетняя дочь пришла из школы и сказала: «Мам, хочешь я расскажу тебе, что сделала моя одноклассница?» После этого девочка показала маме фотографии обнаженной сверстницы, которые та загрузила в «Инстаграм». Но это было еще не все. Девочка загрузила на сайт и фотографии своей обнаженной матери, снятые, когда та выходила из душа. И это в семь лет!

Мама, которая написала мне, знала, что такое «Инстаграм», поэтому они с дочерью сели и обсудили, почему та девочка поступила неправильно. После этого она немедленно позвонила матери одноклассницы и рассказала, что произошло. Та понятия не имела ни о каком «Инстаграме» и даже не догадывалась, что на сотовый телефон можно фотографировать.

Как мы можем быть уверены в безопасности наших детей, если даже не знакомы с проблемой, которую собираемся с ними обсуждать? Я понимаю, все мы занятые люди. У нас насыщенная профессиональная и личная жизнь. Нам приходится выкраивать время на домашние дела, общение с друзьями и, если повезет, на то, чтобы поддерживать себя в форме. Увы, есть много вещей, на которые не остается ни минуты: освоение новых технологий, гаджетов, приложений и сайтов, где сидят наши дети.

Существует несколько важных правил поведения в Сети, которые нужно обязательно обсудить со своими детьми.

1. Твое тело — твое дело. Подумай, прежде чем выкладывать обнаженные фото в Интернет.

2. Ни над кем не издевайся и не общайся с людьми, которые это делают.

3. Добавляй в список друзей только тех, с кем знаком в реальной жизни.

4. Относись к окружающим с уважением — так, как хотел бы, чтобы окружающие относились к тебе.

5. Публикуй в Сети только то, что не стыдно было бы опубликовать в газете.

6. Говори в Сети только то, что готов повторить человеку при личной встрече.

7. Относись с осторожностью к информации личного характера. Рассказывай о себе и своей семье лишь тем, кому доверяешь.

8. Опасайся агрессивно настроенных людей, пассивных наблюдателей и тех, кто занимается интернет-травлей.

9. И самое главное — защищай себя и свое достоинство, помни о безопасности.

Здесь все так же, как и с велосипедом: как только дополнительные колесики сняты, родители должны предоставить ребенку возможность использовать Интернет по своему усмотрению. Мы не в состоянии запрограммировать детей всегда поступать только правильно, им придется учиться этому самим. Так и только так они могут вырасти цельными личностями. Однако есть и еще кое-что важное. Диалог об основах безопасности не должен прерываться. Родителям следует оставаться в курсе того, чем занимается их ребенок в Сети, как и в обычной жизни. Тогда ваш отпрыск будет чувствовать, что вы ему доверяете, давая право учиться на собственных ошибках, но в критической ситуации сможет попросить о помощи и поддержке.

Итак, когда ваши дети подойдут к вопросу формирования собственной онлайн-личности, начните с простого — предоставьте ребенку возможность выходить в Интернет с семейного компьютера, который стоит в гостиной или в другом «общественном» месте. Это позволит вам приглядывать за происходящим. Именно поэтому я не люблю, когда Ашер убегает с моим айпадом. Пока он только играет на нем в игры, но если однажды у него возникнут проблемы, мне хотелось бы быть рядом. (К тому же он просто может его случайно разбить.)

По мере взросления предоставьте ребенку право выходить в Интернет без родительского надзора — возможно, с личного ноутбука, телефона или любого устройства, которое может подключаться к «вайфаю». Установите программу отслеживания деятельности на ноутбуках, планшетах и телефонах детей. Технологии развиваются очень быстро, и к моменту публикации этой книги многие из нынешних программ уже выйдут из обихода, так что изучите вопрос на соответствующих сайтах. Кроме того, вы можете войти в наше сообщество и подписаться на электронную рассылку, чтобы быть в курсе последних разработок в области высоких технологий.

Только выстроив доверительные взаимоотношения с детьми, вы сможете учить их необходимым жизненным навыкам. Прежде чем предоставить им неограниченный доступ в Сеть, убедитесь, что они к этому готовы. Не существует такой программы, которая позволяла бы родителям правильно подготовить детей к жизни в Интернете.

К сожалению, возрастной ценз в тринадцать лет, который установили многие сайты в связи с «Актом о защите частных прав ребенка в Интернете», не имеет никакого значения. Многие дети находят обходные пути или просто указывают другой год рождения, чтобы создать нужный аккаунт. Этот акт означает только то, что правительство Соединенных Штатов и разработчики сайтов рекомендуют лицам до тринадцати лет не создавать аккаунтов в социальных сетях. Конечно, это нужно держать в голове.

Еще один способ оградить детей от посещения потенциально опасных сайтов — это запретить доступ туда, где разрешена анонимная регистрация. Необходимо, чтобы дети с самого раннего возраста понимали преимущества открытого личного общения.

Хотя стремление одержать верх над окружающими естественно для человеческой натуры, кибербуллингу есть место в Интернете лишь благодаря анонимности. Легко казаться крутым, когда подписываешься ником Bumblebee57 и никто не знает, кто ты и как до тебя добраться. Написал гадость, нажал «ввод» — и все, ничего сложного. Не нужно думать над каждой фразой и взвешивать каждое слово при общении с незнакомцами. Люди склонны забывать, что по другую сторону экрана сидит такой же человек, как и они сами. В анонимном, пассивно-агрессивном мире забыть об этом очень легко.

Недавно я обедала с подругой, которая ведет совместный блог с одной очень известной актрисой. И эта актриса как-то сказала: «Думаю, не стану заходить сегодня в "Твиттер". Не хочу читать пожелания скорейшей смерти».

Именно поэтому я всегда на стороне людей, которые используют в Сети реальные имена и фамилии. На «Фейсбуке» мы заняли такую позицию уже очень давно. И с тех пор люди стали писать гораздо меньше гадостей, ведь за каждое высказанное слово им приходится отвечать лично! Что написано пером, не вырубишь топором — любой пользователь «Фейсбука» хорошо подумает, прежде чем опубликовать что-либо.

Возвращаясь к разговору о безопасности наших детей, хочется сказать, что разговаривать о силе подлинной личности в Интернете необходимо в каждой семье. Используя социальные сети и сайты, где люди остаются сами собой, мы действуем культурно и цивилизованно. Только так можно избежать столкновения с темными сторонами интернет-реальности.

Конечно, существуют и исключения из правил. Оставаясь собой в Сети, мы рискуем наткнуться на оскорбления и агрессию тех, кто недолюбливает нас в реальной жизни. Поскольку наша личность едина, это может порой сыграть на руку тому, кто старается довести человека своими нападками. В современном мире мы постоянно на виду, постоянно под наблюдением. В реальной жизни я готова выслушивать жесткую правду обо мне только из уст самых близких друзей. В Интернете в мой адрес высказываются все кому не лень. Это ранит так сильно, что, приходя домой, я больше не могу воспринимать жесткую критику. Семья дарит мне поддержку, заботу и счастье.

Но есть способы избежать подобных проблем. Один из них — научить детей относиться к людям в Сети с уважением и требовать такого же отношения к себе. Если каждый внесет свою лепту, Интернет станет гораздо лучше и приятнее, чем сейчас. Как известно, доброе отношение заразительно.

Даниэль Кюи был новым голкипером школьной футбольной команды в Хиллсборо, штат Калифорния. Когда он пропустил мяч вражеской команды, небольшая группка студентов начала публиковать на «Фейсбуке» альбомы с его фотографиями, которые назывались «Худший вратарь всех времен». Даниэль был смущен и унижен и не хотел возвращаться в школу. Но потом друзья и сторонники Даниэля встали на его защиту. Ребята заменили фотографии в своих профайлах фотографией Даниэля в знак солидарности и поддержки. А потом их движение поддержали еще сотни студентов.

На следующий день Даниэль отправился в школу, больше не боясь местных задир. Он был самим собой в Сети, и в беде друзья не оставили его.

Советы для достижения технологического баланса в семье

Работа. Сон. Семья. Друзья. Фитнес. Выбирайте три

Порой работа оказывается важнее общения с детьми. Иногда семейные нужды не позволяют нам встретиться с друзьями. Бывает, что общение с друзьями не оставляет нам времени на фитнес. Не стоит винить себя за это. Каждый день выбирайте несколько наиболее важных пунктов и старайтесь сосредоточиться на них. Самое классное в том, что на следующее утро вы сможете выбрать три новых области, и грядущий день никогда не будет похож на прошедший. Невозможно преуспеть во всех делах одновременно. Но, если сохранять разумный баланс, все будет хорошо.

Полезные виртуальные привычки прививаются дома

Дети копируют наше поведение. Если хотите, чтобы ваши дети правильно вели себя в Сети, подайте им пример. Когда-то за ужином не разрешалось класть локти на стол, теперь, возможно, за столом стоит запретить пользоваться мобильными телефонами. Если дети видят, что вы набираете сообщение и одновременно ведете машину, не удивляйтесь, когда они начнут делать то же самое. Технологии уже стали неотъемлемой частью их жизни, и ваша задача — научить детей правильно ими пользоваться.

Если ваши дети экспериментируют с технологиями, не бойтесь экспериментировать вместе с ними. Загляните на сайты, которые им нравятся. Осмотритесь там. Освоившись с последними технологическими разработками, вы сможете контролировать деятельность своих детей, а если дела пойдут плохо, поможете им справиться с проблемами.

Айпад не заменит няню

Технологии могут развлекать, обучать, утомлять и восхищать детей. Однако они никогда не заменят живого человеческого общения. Технологии — всего лишь средство, которое нужно использовать по назначению, а затем отложить в сторону, когда дело сделано. Воспитывайте своих детей сами. Не позволяйте Интернету делать это за вас.

Формирование онлайн-личности начинается еще до рождения

Цифровая личность человека теперь начинает формироваться до его рождения. Ребенок еще находится в утробе матери, а в Сети уже публикуют фотографии с УЗИ. Позаботьтесь о безопасности своего ребенка как можно раньше. Зарегистрируйте адрес электронной почты и домен .com для своего малыша и хотя бы раз попробуйте проверить будущее имя в «Гугле». Обычное, распространенное имя тяжелее пробить по поисковой системе, чем нестандартное и уникальное. Но заострять на этом внимание не стоит. Дети нуждаются в любви гораздо больше, чем в поисковой оптимизации.

Будьте собой — это залог безопасности

Онлайн-безопасность не обеспечить, просто установив необходимые фильтры. Люди давно пытаются решить эту проблему. Ваша задача — завоевать доверие собственных детей. Тогда при возникновении проблем они обратятся к вам. Излишнее давление и слежка могут только навредить. Поставьте компьютер в общей комнате или создайте список разрешенных сайтов — так вы обезопасите себя и свою семью в виртуальной сфере. Ограничение доступа к сайтам, на которых разрешена анонимная регистрация, поможет вашим детям избежать интернет-травли.

В конце концов, Интернет — это сеть, к которой подключены люди, а не компьютеры. И потому в наших силах сделать эту сеть безопасной.

Есть инструменты, созданные специально для того, чтобы обеспечить безопасность ребенка в Сети: это «родительский контроль» и настройки конфиденциальности. Последние есть на большинстве сайтов. Не поленитесь разобраться в них, и вы сможете помочь своему ребенку должным образом. Не бойтесь настроить «родительский контроль» в своем интернет-браузере или ограничить доступные вашим детям сайты. Как-никак это ваш личный компьютер! Не стесняйтесь составить список веб-сайтов, которые детям разрешается посещать, и список тех, куда заходить нельзя.

Если хотите, чтобы дети извлекли максимум пользы из подконтрольных рисков, риски должны присутствовать в их жизни наравне с контролем. По умолчанию вы должны быть настроены на свободное использование Интернета.

В то же время вам придется быть в курсе всех последних увлечений и тенденций в молодежной среде, чтобы понимать, какие из них безопасны для ваших детей. Как родители, вы имеете право знать, что происходит. Открыто разговаривайте со своими детьми, периодически читайте технические блоги, проверяйте интернет-историю и делитесь опытом с другими родителями. Не позволяйте детям держать вас в неведении. А если речь заходит о новых веб-сайтах, которыми «пользуются все крутые ребята», прежде чем давать свое согласие, обсудите с ребенком, как себя лучше там вести.

Иметь собственный мобильный телефон или компьютер уже давно не роскошь, а насущная необходимость. Многие люди спрашивают меня, в каком возрасте можно дарить ребенку мобильный телефон, и я всегда отвечаю, что оптимальнее всего — во втором классе. Когда ребенок играет в песочнице, бегает на свежем воздухе после уроков и уже не находится круглосуточно под вашим присмотром, телефон может стать гарантом безопасности для вас и вашего чада.

Очень важно научить детей управлять личными настройками в Сети и использовать функцию оповещения, которая позволит в случае возникновения проблем достучаться до администраторов или других уполномоченных работников сайта. Убедитесь, что ваши дети знают, с кем стоит и с кем не стоит делиться информацией. Научите их избегать незнакомцев в Интернете так же, как и в обычной жизни. Понимая ценность подлинной личности и проводя время лишь на тех сайтах, которые поддерживают эту концепцию, мы сможем избежать некоторых проблем.

Детям, в особенности подросткам, нужен кредит доверия. Не пытайтесь перекладывать на них собственную техническую несостоятельность. Результаты исследований во многих фокус-группах, создававшихся на «Фейсбуке», как ни странно, показывали, что подростки куда более вдумчиво подходят к использованию настроек приватности, чем можно было предположить. Исследование «Траст прайваси менеджмент кампани» показало, что около 70% подростков знают, как эффективно изменить настройки приватности в соцсетях. Процент родителей, умеющих это делать, оказался намного ниже.

В конце концов, воспитание детей в Сети — это просто воспитание. Не существует формулы для верного решения всех проблем. Но, понимая риски, возможности и трудности, которые связаны с технологиями, мы вырастим детей так, чтобы они были полностью готовы к жизни в цифровом мире.

Интернет может быть невероятно полезен для детей. Не нужно ничего бояться или не пускать своего ребенка в Сеть. Поговорите с детьми о безопасности и убедитесь, что они вас поняли. У всего есть темная сторона. Но давайте лучше сосредоточимся на светлой.

Глава 8

Подлинная жизнь

Пятничная ночь в швейцарском Давосе выдалась холодной. Скидывая угги и пытаясь протиснуться через металлодетектор, я на мгновение пожалела, что не осталась в Калифорнии с Брентом. «Не останавливайся», — подумала я. Дом был далеко, но я не имела права упустить такой шанс.

В январе 2010 года мне предложили представлять «Фейсбук» на Международном экономическом форуме в Давосе. Каждый год главы государств, лидеры корпораций, знаменитости, ученые и представители прессы съезжаются на этот форум, чтобы обсудить инновационные достижения в решении самых актуальных мировых проблем.

В тот раз на форуме организовали специальную пятничную трапезу, которая традиционно совершается в преддверии еврейского Шаббата. Так как я горжусь наследием своих предков, мне было очень приятно оказаться в числе приглашенных. Ко всему прочему, я наконец смогла с чистым сердцем доложить маме, что нашла местечко, куда можно пойти на Шаббат.

Обед проходил в небольшом номере отеля, расположенного прямо перед конференц-центром. По дороге я изумленно глазела по сторонам. Здесь собрались самые известные евреи планеты. Эли Визель — гуманист и филантроп, переживший холокост, Шимон Перес — президент Израиля и лауреат Нобелевской премии, Гэри и Лаура Лаудер из «Эсте Лаудер», главный раввин Москвы, заместитель Хиллари Клинтон и так далее. Количество известных и влиятельных людей просто зашкаливало.

Я немного разволновалась, но вскоре успокоилась. Несмотря на впечатляющую компанию, это был обычный ужин накануне Шаббата — интимный, шумный, веселый.

Усевшись на свое место рядом с Джулиусом Геначовски, председателем Федерального агентства по связи США и главным защитником позиции интернет-нейтралитета, я стала всматриваться в лица окружающих в попытке узнать еще когонибудь. И в этот момент почувствовала, как кто-то похлопывает меня по плечу. Подняв глаза, я увидела Йосси Варди — одного из самых популярных израильтян, чье имя неразрывно связано со словами «техника», «Израиль» и «еврейский».

— Рэнди, — сказал Йосси. — Обычно вступительную песню к Шаббату поет Эли Визель, но сегодня он не слишком хорошо себя чувствует и предпочел бы не петь.

«Продолжай», — подумала я.

И Йосси продолжил:

— Может, ты споешь нам «Золотой Иерусалим»?

Я на мгновение задумалась над этим предложением. «Золотой Иерусалим» — это известная израильская народная песня, воспевающая красоту страны. Я вспомнила школьные времена, когда читала «Ночь» — книгу Эли Визеля о том, как он выживал в Освенциме. Тогда я и предположить не могла, что когда-нибудь встречу человека вроде Эли Визеля, да еще и буду петь для него. Стоять перед президентом Израиля и петь о красоте Израиля было бы честью для любой еврейской женщины.

— Да, — уверенно ответила я. — С радостью.

Но через миг моя уверенность превратилась в панику, когда я вдруг поняла, что не знаю слов. Маленькая неувязка.

Я позвонила Бренту. Он поднял трубку и что-то неразборчиво пробормотал сонным голосом. В Калифорнии была глубокая ночь.

— Брент! — завопила я. — Мне нужен текст песни «Золотой Иерусалим». Нет времени объяснять.

Через несколько секунд текст песни был у меня в телефоне. Я быстро наклонилась к председателю Федерального агентства по связи и сунула ему в руки карманную камеру со словами:

— Держите. Снимите все на видео, пожалуйста, иначе мама меня просто убьет.

Вскоре я стояла рядом с президентом Пересом, который представлял меня всем приглашенным.

— В Сан-Франциско, — начал он, — живет молодой еврейский парень по имени Марк Цукерберг. Он основал огромную компанию, которая называется «Фейсбук» и приносит в год, я думаю, порядка 100 миллионов долларов или что-то около того. Сегодня с нами сестра этого парня, но она не будет заниматься «Фейсбуком». Она будет петь — петь для нас.

Я что-то пробормотала о том, как счастлива оказаться здесь, периодически косясь на свой телефон, улыбнулась, подумав, какой у меня чудесный муж, глубоко вздохнула и начала петь.

«Авир харим цалуль каяин, вереах ораним,
Ниса беруах хаарбаим, им коль паамоним».
(Горный воздух чист, как вино, и запах сосен
Разносится вечерним ветром вместе со звоном
колоколов.)
«Увтардемат илан ваэвен, швуя бахалома
Хаир ашер бадад йошевет, у велиба хома».
(И сонное дерево, и камень словно из мечты. Город
Стоит одиноко, и в сердце его — стена.)

В комнате было тихо. Я сделала глубокий вдох и попросила остальных присоединиться к припеву. Комната тут же заполнилась голосами, все пели:

«Ерушалаим шель захав, вешель нехошет ве шель ор
Халё лехоль шираих, ани кинор».
(Иерусалим из золота, бронзы и света, все песни о
тебе, и я твоя арфа.)

Закончив петь, я обвела комнату взглядом, чувствуя гордость за себя, за Израиль и за всех евреев. Я буквально слышала, как вопит в Доббс Ферри от радости моя мама.

Я вернулась на свое место, сияя и дрожа от напряжения. Спустя мгновение я извинилась, вышла из-за стола, позвонила Бренту и разрыдалась. Трудно описать словами, что я чувствовала, стоя перед теми самыми людьми, которые тремя поколениями ранее создали государство Израиль, и исполняя для них эту прекрасную песню.

В ту ночь я опубликовала видео на «Фейсбуке» (спасибо председателю Геначовски — именно он его снял!), добавив от себя, что это был один из самых значительных моментов моей жизни. Слишком важный и ценный, чтобы им не поделиться.

Спустя несколько минут на меня посыпались комментарии и сообщения. Одни люди говорили о том, как их тронул момент. Другие делились историями своих Шаббатов. Некоторые задавали вопросы по поводу моего еврейского происхождения, стараясь делать это максимально деликатно. Люди, которых я никогда не видела, отмечали, насколько вдохновляющим получилось видео, и восхищались тем, что я не побоялась гордо встать посреди зала и воспеть свое происхождение и культуру своего народа.

Я была необыкновенно благодарна за все полученные сообщения. Я ощущала удивительную близость не только с друзьями и семьей, но и со всеми остальными членами сообщества. Меня переполняло чувство тепла и любви.

Но были и те, у кого видео вызвало совершенно другую реакцию. Я получила огромное количество личных сообщений от друзей и наставников, которых очень уважала. Все они утверждали, что я совершила ошибку. По их мнению, женщине-руководителю не стоило петь на публике. Такой поступок казался им непрофессиональным. Кроме того, мои знакомые считали, что задевать темы Израиля и религии слишком рискованно.

В тот момент я не посчитала нужным отстаивать свою точку зрения, но потом еще долго размышляла о том, не стоило ли обидеться на этих «доброжелателей». С одной стороны, я гордилась своим еврейским происхождением. Это важная составляющая моей личности. С другой стороны, я приехала в Давос, чтобы представлять «Фейсбук». Если бы мое пение плохо отразилось на компании или на мне самой, то мой шаг действительно можно было бы признать ошибкой.

Кроме того, у меня создалось впечатление, что причиной негодования послужило вовсе не мое пение. Люди интересовались, зачем я сняла это видео и опубликовала его в Сети. Возможно, стоило оставить клип в личном архиве?

Я разрывалась надвое. Тот момент стал одним из самых важных в моей жизни, а профайл на «Фейсбуке» был отражением моей личности. Как я могла не опубликовать это видео? Было во всем этом что-то неладное. Интернет сошел с ума.

В 2011 году я снова полетела в Давос, на этот раз беременная Ашером. На подготовку к конференции у меня было несколько месяцев. Я прекрасно понимала, что вопрос о пении обязательно прозвучит вновь, но совершенно не представляла, как я на него отвечу. Когда это наконец случилось, я вспомнила все комментарии, полученные в прошлом году, и вежливо отказалась, сославшись на свою беременность. Все вели себя очень деликатно, однако у меня все равно остался на душе неприятный осадок. Было такое ощущение, словно я пожертвовала своей национальной гордостью ради профессионального имиджа.

После этого я решила всегда говорить о себе только правду: в Сети и в реальной жизни, на публике и наедине с собой. Можно спорить о том, что такое профессиональный подход, но придерживаться его должен каждый. Только так песня будет искренней.

Профессионал на 360 градусов

С этой философской концепцией я познакомилась после рождения Ашера. Множество раз я обещала самой себе, что никогда не стану одной из «тех мамочек» с «Фейсбука», но в итоге пала жертвой эпидемии и превратилась в типичную мамашу, снимающую каждую секунду жизни новорожденного малыша. Первый зевок? Чудесно. На «Фейсбук» его. Первая икота? Ну конечно, друзья захотят это увидеть. Первое срыгивание? Надо поделиться. Сон в колыбельке? Сон в коляске? Сон в парке? О боже, это так мило! Неужели есть люди, которые не мечтают разглядывать детские фотографии по пятьдесят раз на дню?

Что ж, вскоре я в этом убедилась.

У меня было несколько предельно честных коллег, и однажды настал тот день, когда один из этих людей решил высказать мне все прямо в лицо. Коллега позвонил мне по телефону и сказал:

— Рэнди. Ашер очаровательный мальчик, но пора тебе с этим заканчивать. Не стоит публиковать миллион фотографий. Нужно поддерживать профессиональную репутацию. Зачем тебе постить каждую секунду материнских забот на «Фейсбук»?

Мы посмеялись над этим, и разговор был окончен. Но, повесив трубку, я вдруг почувствовала жуткий страх.

Публикуя детские фото, я предельно открыто демонстрировала, из чего состоит моя жизнь. Все мое время занимал Ашер, и, естественно, это отражалось на моей странице. Я вела себя уж слишком откровенно. Откровеннее, чем когда-либо.

Что, если фотографии сына пагубно отразились на моем профессиональном «бренде»? Что, если моей репутации нанесен непоправимый урон и теперь коллеги и бизнес-партнеры видят меня совершенно другим человеком? Может, следовало держать свою страницу в стерильном состоянии? Формировать с его помощью профессиональный образ, не вдаваясь в подробности личной жизни? И если это так, мог ли подобный подход нарушить общность онлайн- и офлайн-личностей? Какую часть правдивой информации следовало убрать? Двадцать пять процентов? Пятьдесят процентов?

В конце концов я пришла к выводу, что в смешении профессиональной и личной жизни нет ничего страшного. Я считаю, что люди, которые используют Сеть лишь для формирования идеальной, ничем не запятнанной профессиональной репутации, в корне неправы.

Выслушайте меня.

Сегодня люди, с которыми я работаю или веду бизнес, читают мою рассылку о будущем развлекательной и технологической индустрии, разглядывают «закулисные» фотографии студии «Цукерберг Медиа», смотрят мои интервью и телевизионные выступления каждую неделю. Но они также знают, что я люблю своего сына и обожаю публиковать его снимки. Они знают, что я люблю путешествовать и что я пою в группе под названием «Фидбомб» (знаменитой преемнице «Сути Эванесенс»).

Если раньше я была профессионалкой Рэнди на работе, мамой Рэнди дома и душой компании Рэнди с друзьями, то теперь я вынуждена быть всеми этими Рэнди одновременно. В эру смартфонов, социальных сетей и правдивой онлайн-идентификации становится невозможно разделять бытовую и профессиональную реальности. Я могу использовать «ЛинкедИн» для работы, «Фейсбук» — для социальных контактов, а «Кафе Мам» — для общения с другими мамами. Но если кто-то хочет отследить любую мою деятельность в Сети, ему всего лишь надо научиться пользоваться «Гуглом».

В современной рабочей среде люди делятся на два лагеря с диаметрально противоположными взглядами на личностную идентификацию. Руководители «досмартфоновой эры» полагают, что у человека должен быть профессиональный образ, подобный сжатому профилю из «Форбс» и имеющий мало общего с его настоящей личностью. Но представители моего поколения, выросшие в мире социальных сетей, понимают, что у нас больше нет подобной привилегии. Мы знаем, что у лидеров будущего есть только один вариант: их хобби, интересы, личная жизнь и увлечения будут задокументированы и выставлены на всеобщее обозрение.

Вместо того чтобы пытаться создать тусклый, малоинформативный профессиональный фасад для коллег, лидеры будущего станут многомерными личностями на 360 градусов, в которых частное и профессиональное будут органично уживаться вместе.

Неужели мои коллеги, бизнес-партнеры и знакомые станут хуже думать обо мне только из-за того, что увидели Рэнди не на работе? Надеюсь, нет. Все мы разносторонние, сложные люди, и у каждого из нас есть профессиональная и личная жизнь. Вопрос в том, как их примирить. Мы больше, чем наша работа. Больше, чем просто рядовые сотрудники или начальники. Мы еще и матери, отцы, сестры, братья, друзья, супруги, певцы, поэты, политики, гурманы и спортивные фанаты, — все в одном. Так было всегда. Именно это и делает нас привлекательными.

Так почему бы этим не воспользоваться? Меньше детских фотографий? Нет! Больше детских фотографий — вот мой ответ. Я не собираюсь ограничивать себя в публикациях, это другим нужно писать больше постов.

Если кто-то не хочет вести со мной дела только из-за того, что я опубликовала в Сети фотографию мужа, сына или моей музыкальной группы, значит, мы с этим человеком не сработаемся.

Так давайте же изменим понимание «профессионального». Настал век Интернета, а значит, пора принять очевидное: время, когда наша личная жизнь хранилась в секрете и никак не пересекалась с работой, безвозвратно ушло.

И это хорошо. Оставаясь собой, я могу не бояться, что коллеги узнают о моей жизни что-то шокирующее и неожиданное. Никакие откровения не в силах сделать меня менее успешным менеджером и партнером. Кроме того, сформированная онлайн-личность помогает мне прекрасно справляться с ролью лидера на работе.

Исследования показали, что люди, которые не делятся на «Фейсбуке» подробностями личной жизни с коллегами, менее популярны в коллективе, чем те, кто ведет себя более откровенно. Доклад исследователей Уортонской школы бизнеса Пенсильванского университета показал, что обмен информацией заставляет людей выстраивать более четкие личные связи. Сотрудники, которые регулярно делятся подробностями своей личной жизни с коллегами и начальниками, считаются более хорошими работниками. Людям нравится работать с теми, кому можно доверять.

Конечно, в жизни каждого из нас есть место для «ЛинкедИна» и других профессиональных социальных сетей. Я сама большой фанат «ЛинкедИна» и считаю, что это очень удобная платформа. Но пока он не сможет вместить в себя всю 360-градусную Рэнди, «ЛинкедИн» будет оставаться лишь одним из кусочков моей онлайновой личности, а вовсе не ее плотью и кровью.

Итак, что же делать дальше? Как справиться со страхом и начать освоение новой территории?

Жизнь в мире подлинных онлайн-личностей возможна. Для этого нужно не забывать о здравом смысле, иногда рисковать и мастерски оперировать настройками приватности. В социальной сети каждый превращается в знаменитость, так почему бы нам не стать и собственными публицистами?

Первая проблема. Делясь фактами своей биографии на работе, нужно не забывать с пониманием относиться к той информации, которую вы получаете от своих коллег и знакомых. Сотрудники любой компании — обыкновенные люди, и большую часть жизни они проводят вне офиса. Считать, что у них нет интересов помимо работы, по меньшей мере глупо. Нормы поведения и отношение к публичному и частному постепенно меняются, и вместе с ними должны изменяться и наши ожидания.

Вторая проблема. Чем больше личного проникает в профессиональное, тем больше профессионального проникает в личное. Как вы отнесетесь к тому, если начальник начнет писать вам письма по работе в одиннадцать вечера?

Согласно опроснику «Правильного Менеджмента», примерно две трети сотрудников заявляют, что начальство шлет им электронные письма в выходные дни и ожидает ответа. Опрос, проведенный «Добрыми Технологиями», показал, что более 80 процентов людей продолжают работать и после того, как покинули офис. В среднем по 7 часов в неделю (помимо положенного времени в офисе) люди работают дома — а это ведь еще один дополнительный рабочий день! Тот же самый обзор выявил, что 68 процентов людей проверяют рабочую почту еще до восьми утра, 57 процентов делают это во время семейных мероприятий, а 38 процентов регулярно просматривают почту во время обеда. 40 процентов людей работают после 10 вечера, а 50 процентов с трудом расстаются с телефонами перед отходом ко сну (некоторые читают рабочие письма и отвечают на них, уже лежа под одеялом).

В связи с этой пугающей тенденцией нам стоит задуматься о взаимном уважении. Мы должны уважать технологический баланс окружающих так же, как свой собственный. Я всегда говорю своим новым сотрудникам: «Вы можете получить от меня письмо посреди ночи. Но я не жду, что вы тут же на него ответите. Просто ночью мне лучше работается, поэтому я начинаю копаться в почтовом ящике».

Если ваш начальник ждет, что вы будете отвечать на его письма в любое время дня и ночи в любой день недели, и этот факт отрицательно влияет на вашу жизнь, вам нужно серьезно побеседовать с ним о личностных границах и установить правила, основанные на взаимном уважении к технологическому балансу жизни друг друга.

Отыщите в социальных сетях своих коллег по работе и пригласите их к себе в друзья. Это очень полезно, когда вы, например, ждете важного ответа по почте и вдруг видите, что коллега публикует фотографию в «Инстаграме» или болтает с кем-то в социальной сети. В такие моменты нужно помнить, что у каждого из нас есть личная жизнь и каждый имеет на это право. Если человек находится в Сети, это еще не значит, что он отлынивает от работы. Отправляясь на поиски своего технологического баланса, нельзя забывать, что наши коллеги и друзья делают то же самое. Если вам не ответили на сообщение сразу же, возможно, нужно немного подождать. Дайте человеку немного времени.

То же самое относится и к друзьям. Когда мы пишем сообщение, нам кажется, что ответ придет незамедлительно. Но подобные ожидания по сути своей сродни фамильярному обращению, когда человека трясут за плечо, вынуждая обратить на себя внимание, или встревают в его разговор с другими. Необходимо понимать, что наши друзья не сидят в одиночестве и не ждут, пока мы обратимся к ним со своими вопросами. А значит, мы не имеем права выдвигать столь высокие требования.

Предоставляйте людям время, чтобы переключиться на вас, и никогда не бросайте свои насущные дела, если кто-то потребовал вашего внимания. Объятия времени смыкаются все сильнее, но каждому из нас нужна небольшая разрядка. Смартфон позволяет нам моментально выходить на связь с любым человеком, но наш разум не способен переключаться с такой скоростью.

В Денвере, в штате Колорадо, существует компания по разработке программного обеспечения под названием «Прямой контакт». Управляющие этой компании назначили премию в 7500 долларов тем сотрудникам, которые не берут свои мобильные телефоны с собой в отпуск. Для чего это сделано? Если вы на время полностью отключаетесь от виртуальной реальности и восстанавливаете технологический баланс, возвращаясь к работе, вы чувствуете себя отдохнувшими, полными сил и энергии.

Исследования подтверждают этот факт. Согласно внутреннему отчету компании «Эрнст энд Янг», каждые дополнительные десять часов отдыха в год увеличивают продуктивность работы сотрудников на 8%.

Если же ничего не помогает, вы всегда можете уехать в Бразилию. В ноябре 2012 года президент Бразилии Дилма Русеф одобрила законопроект, согласно которому общение по сотовому телефону и проверка рабочей почты после завершения рабочего дня приравнивается к переработке и оплачивается дополнительно.

Сохраняя единство своей онлайн-личности, поддерживая технологический баланс и помогая с этим коллегам, вы не только чувствуете большую уверенность в своих силах, но и начинаете работать продуктивнее.

Да и кто, скажите, не любит посмотреть на снимки детей на отдыхе? Нет ничего более милого, чем вид шагающего по песку Ашера. По-моему, у меня где-то есть такая фотография.

Формирование онлайн-бренда

Публикация фотографий и видео в Сети — это лишь часть истории. Возможности Интернета намного шире. Так, например, использование истинной личности позволяет нам развиваться в карьерном плане и формировать свой собственный «бренд».

Нельзя просто встать однажды утром и провозгласить себя экспертом, и тем не менее тысячи людей по всему миру мнят себя «серыми кардиналами», «мыслящими лидерами», «легендами социальных сетей» и «гигантами мысли». Доверие общества завоевывается тяжким трудом. В мире живет множество талантливых людей, которые действительно являются экспертами, однако в большинстве случаев им не нужно кричать об этом на весь свет.

Создание персонального бренда не должно вызывать негативной реакции у окружающих. Вы можете использовать гигантскую мощь соцсетей, чтобы твитнуть, запостить или опубликовать в блоге свои новаторские идеи и заслужить репутацию умного, интересного и амбициозного человека.

Следует понимать, что доступность виртуального контента всегда имеет две стороны. Если босс имеет доступ к вашим детским фотографиям, значит, он может так же легко читать ваши посты. Так почему бы не сделать их более интересными?

Раньше у людей не было подобных карьерных возможностей. Теперь у нас есть сложные поисковые системы и социальные сети. За последнее десятилетие число интернет-пользователей значительно возросло. Реальные люди объединяются в виртуальные сообщества. Все это позволяет с легкостью находить нужную аудиторию. Умеете писать — пишите в «Твиттере». Не можете сочинять сами — публикуйте ретвиты. Создавайте себе имя. Многие из самых успешных интернет-блогов делались буквально из ничего. Многие успешные проекты, включая «Дэйли Кос»[1] и «Драдж Репорт»[2], начались с инициативы одного человека. Если ваши идеи окажутся заразительны, вскоре у вас появится постоянная аудитория.

Возможно, вы будете упорно работать над блогом, но так и не дождетесь нужного количества читателей. Зато однажды по ссылке с «Фейсбука» в блог заглянет ваш босс, и это полностью окупит отсутствие популярности.

В былые времена, пожалуй, напечатать информационный бюллетень о работе и раздать по экземпляру коллегам и боссу выглядело бы крайне амбициозно, самонадеянно и даже дико. Но теперь многие люди ведут рабочие блоги, где обсуждают насущные темы с коллегами. В этом нет ничего ужасного. Вам больше не нужно назначать личную встречу с боссом, чтобы полчаса рассказывать ему о своих достижениях. Просто действуйте.

Я очень уважаю людей инициативных и амбициозных. Но меня беспокоит, что деятельность моих подчиненных может оказать негативное влияние на нашу компанию. Именно поэтому я считаю, что ограничивать доступ к социальным сетям нецелесообразно. Гораздо эффективнее научить своих сотрудников правильно их использовать.

---

[1] Дэйли Кос (англ. Daily Kos) — популярный американский политический блог для сторонников либеральной партии.

[2] Драдж Репорт (англ. Drudge Report) — новостной сайт, предоставляющий пользователям ссылки на различные интернет-ресурсы.

В большинстве компаний директору не позволят выступать на телевидении или давать интервью без соответствующей подготовки. Так почему же в мире смартфонов, где каждый из сотрудников выступает перед широкой аудиторией, никто не придает подготовке должного значения? Почему мы не заботимся о том, чтобы люди, представляющие нашу компанию перед всем миром, обрели нужные навыки и способности?

Покажите своей фирме, что можете быть хорошим посланником. Но не забывайте, что вы не единственный представитель своей компании. Для создания полноценного бренда важен каждый сотрудник. А значит, все вместе вы способны укрепить позиции компании в Сети и в реальной жизни, наполнив образ фирмы необходимым содержанием.

Умение работать в социальных сетях — необходимый атрибут любого участника современного рынка. Работодатели отдают предпочтение тем сотрудникам, которые обладают навыками использования социальных сетей, и те, кто не разбирается в них или не осознает силу их влияния, оказываются не у дел. Сегодня каждый сотрудник, выходящий в Интернет, воспринимается как лицо своей компании-работодателя, а значит, может считаться ее пиар-представителем. Умный работник не станет избегать такой возможности и наверняка использует ее должным образом.

То же самое касается и самих компаний. В те времена, когда «Фейсбук» только зарождался, фирмы часто нанимали студентов, которые создавали, а затем курировали корпоративные рекламные странички. Это было неплохим дополнением к настоящим маркетинговым кампаниям.

Теперь продвижением в социальных сетях занимаются уже не любители, а целые команды профессионалов. Несколько лет назад подобных вакансий просто не существовало. Сегодня появилась профессия комьюнити-менеджера — это человек, занимающийся интернет-маркетингом и работающий с потенциальными покупателями. Такой сотрудник может, к примеру, помочь представителю «Олд Спайс» пообщаться с людьми на «Ютьюбе», ответить покупателям, оставившим отрицательные отзывы о продукции, и даже успокоить бурю на «Твиттере», выяснив, что пошло не так, и устранив проблему.

Теперь, когда у каждого из нас есть рупор, люди стараются достучаться до фирм, с которыми имеют дело. Самим фирмам остается только слушать. А затем вступать в диалог.

Как сделать, чтобы твой голос был услышан

Силу виртуального слова нельзя недооценивать. Я выучила этот урок, когда впервые вышла на общенациональный уровень.

Заканчивался 2008 год, ставший поворотным не только для американских политиков, но и для социальных сетей. «Фейсбук» окончательно перестал ассоциироваться с оплотом студенчества, превратившись в платформу для политических дискуссий, аналитических обзоров и споров о преимуществах того или иного кандидата. В тот момент я занимала должность директора по маркетингу, и в мои обязанности входило регулировать отклик аудитории на республиканские и демократические партийные съезды. Мы старались вести тему с величайшей осторожностью, не впадая в крайности. Естественно, прежде всего это касалось обсуждений кандидатов от обеих партий — Барака Обамы и Джона Маккейна. До того момента пользователи «Фейсбука» делились в основном подробностями личной жизни и не касались политических тем, и теперь нужно было проследить, чтобы сайт не превратился в партизанскую платформу. Я должна была сделать так, чтобы каждая из партий отыскала на «Фейсбуке» свою аудиторию и заручилась ее поддержкой как в Сети, так и в жизни. В последнюю неделю августа я, повинуясь долгу, успела съездить сначала в Денвер, на партийный съезд демократов, а затем и в Сент-Пол в штате Миннесота, на конференцию республиканцев.

Хотя мы с самого начала решили уделять равное внимание обоим событиям, путешествия в Денвер и Сент-Пол вымотали меня до предела. На Демократическом национальном съезде мы с коллегами оказались крайне популярны. Мы вели множество репортажей и получали приглашения на все вечеринки. «Как, по-вашему, следует относиться к соцсетям?» «Можно ли с помощью "Фейсбука" общаться с избирателями и спонсорами?» В какую бы комнату я ни зашла, на меня тут же накидывались юные активисты и организаторы сообществ. Я стояла всего в паре метров от Канье Уэста, когда он давал частное выступление на одной из организованных «Гуглом» вечеринок. В воздухе витал дух надежды, веселья и оптимизма.

Республиканский съезд, напротив, оказался угрюмым и мрачным. Собрание состоялось через несколько дней после того, как ураган «Густав» прошелся по городам северного побережья Мексиканского залива. В связи с этими печальными событиями дата съезда переносилась несколько раз. Наиболее влиятельная часть партии глубоко сомневалась в Маккейне, и столь же глубокую антипатию республиканцы испытывали к новейшим технологиям. Естественно, это коснулось и социальных сетей. Наши предложения были попросту проигнорированы — республиканцы не желали использовать технические средства для продвижения собственной программы. Мне разрешили посетить лишь несколько встреч с чиновниками среднего ранга. Большую часть времени я просидела в номере, строча бесполезные письма в попытке договориться о встрече и поговорить лично хоть с кем-нибудь. В итоге дело закончилось тем, что мы с коллегами Адамом и Саймоном уехали развлекаться в «Молл оф Америка»[1].

Через несколько недель после выборов я в качестве приглашенного гостя выступала на собрании, организованном моим другом и спонсором Дэйвом Макклюром. Собрание было посвящено проблеме взаимодействия политики и высоких технологий. Когда пришло время открытого обсуждения, меня спросили, есть ли различия в отношении республиканцев и демократов к «Фейсбуку» и другим социальным сетям.

Я задумалась, вспоминая подробности двух столь разных съездов.

— На съезде демократической партии к нам отнеслись, как к рок-звездам. Каждый хотел встретиться и пообщаться, — ответила я. — А на Республиканском национальном съезде я все три дня просидела в номере. И никто не приглашал меня на встречи. Мне самой приходилось чуть ли не умолять об этом.

Один из блогеров снял мое выступление на видео и загрузил его в Интернет. Спустя несколько дней информационный директор республиканской партии Мэтт Бернс прокомментировал этот ролик на «Ютьюбе» такими словами: «Рэнди Цукерберг, конечно, заслуживает всяческого уважения, но тут она прямо-таки изошла на г..но». После этого Бернс

---

[1] «Молл оф Америка» (англ. Mall of America) — крытый торгово-развлекательный комплекс в Блумингтоне, штат Миннесота.

обвинил меня в предвзятом отношении к республиканцам.

Но все это было бы неважно, если бы высказывание Бернса не подхватили интернет-блоги, в одном из которых появился крупный заголовок «Рэнди Цукерберг изошла на г..но». Не буду приводить комментарии, которые написали люди по этому поводу, отмечу лишь, что в обсуждении успели пройтись по моему весу, происхождению, а также недостаткам характера и внешности. Прочитав все эти злобные выпады, я была настолько поражена сквозившей в них нескрываемой агрессией, что какое-то время проплакала перед монитором. Я понятия не имела, как буду смотреть на следующее утро в глаза коллегам и не выгонят ли меня после такого с работы.

К счастью, на работе инцидент прошел практически незамеченным. Буря улеглась, и со мной ничего не случилось. Многие люди, наоборот, поддержали меня, и я выучила несколько важных уроков.

Новичку Интернет может показаться источником живительной влаги, однако нельзя забывать, что в любую секунду его можно превратить в проводник мощной, сметающей все на своем пути ярости. Неправильно истолкованное любое ваше слово или действие может обратить его в машину, которой под силу стереть в порошок кого угодно.

Девиз «Нью-Йорк таймс» звучит так: «Новости, которые подходят для печати». В качестве интернет-слогана больше всего подошло бы: «К черту всех!

Пиши, что хочешь!» В Сети публикуется любая информация, способная вызвать отклик у аудитории. Точность и правдивость этой информации не играет никакой роли. Личные выпады часто используются в качестве «приманки», а выплески негативных эмоций способствуют увеличению количества просмотров. Подобный подход к журналистике характерен преимущественно для желтой прессы. В последние годы этим принципом руководствуется все больше и больше таблоидов. Предполагается, что так можно увеличить прибыль.

К примеру, в начале этого года, когда я объявила, что пишу книгу, в одном из блогов появилась едкая новостная статья. Автор явно хотел «покормить троллей»[1], что ему с успехом и удалось. Вот лишь несколько комментариев к той статье:

— Не хочу даже слышать об этой женщине.

— Да кому вообще есть дело до этой Рэнди (боже, что за имечко!) Цукерберг?

— Если моя помешанная на «Фейсбуке» сестренка начнет читать эту книгу, я убью ее саму и всю ее семью.

Просто чудесно. Конечно, на мне и моей работе эти злобные выпады никак не отразились, однако, окажись на моем месте другой человек, его карьера и репутация могли бы быть разрушены.

---

[1] Тролль (в интернет-общении) — человек, занимающийся «троллингом», тот, кто намеренно вызывает у собеседника агрессию или отрицательные эмоции, нагнетает конфликт и провоцирует других интернет-пользователей на грубости.

Наберите в «Гугле» слова «Интернет» и «уволен», и вы увидите длинный список людей, чья карьера оказалась перемолота бездушной машиной Всемирной паутины. Поисковик выдаст бесчисленное количество видеорезюме, объявлений о поиске работы, историй о проступках сотрудников ведущих корпораций и юридических фирм — все это, в общем и целом, будет относиться к нашей теме.

В 2012 году Джин Морфис работал главным финансовым инспектором «Францеска Холдингс Корпорейшн». У него был личный блог и аккаунт в «Твиттере». А еще Джин, как и всякий продвинутый интернет-пользователь, любил писать о собственной жизни. Порой в его постах появлялись интересные заметки о работе, например: «Обед с членами правления. Когда-то было весело. Теперь всегда приходится быть начеку». Или: «Встреча с членами правления. Цифры хороши — правление довольно!» Руководство компании заинтересовалось онлайн-деятельностью своего сотрудника. Джин тем временем продолжал: «Отчет о доходах готов. Совещание закончилось. Ну что, доволен, Коротышка?»

Но Коротышка, как это часто случается, был вовсе не доволен тем, что его сотрудник публикует в «Твиттере» информацию, которая могла отрицательно сказаться на курсе акций компании. Морфиса уволили.

Почему же люди, занимающие ведущие позиции и обладающие колоссальным опытом, совершают такие дурацкие ошибки? Причина проста.

Интернет побуждает нас делиться личными, интимными, а порой даже сумасшедшими мыслями. Глядя на экран монитора, легко забыть, что общаешься с живыми людьми. Говорить с компьютером куда проще, чем с человеком. Не надо смотреть ему в глаза и нервничать из-за его реакции.

Но как же в таком случае себя вести? Я много раз повторяла это раньше и повторю снова: нужно всегда оставаться самим собой, быть в Сети тем же человеком, что и в реальной жизни.

Конечно, люди сталкивались с жестокостью и бесчеловечностью и до появления Интернета. На земле всегда были и всегда будут злобные личности. Таким человеком может оказаться начальник по работе, яростный критик или обычный придурок. Но пока мы контактируем с людьми по всему миру, не глядя друг другу в глаза, присущее некоторым стремление уязвить и унизить собеседника будет только расти.

Помните об этом, когда решите опубликовать в Интернете критические отзывы. Число социальных сетей растет, и компании используют их для того, чтобы получить доступ к потенциальному потребителю. В былые времена, если официант плохо обслужил вас в ресторане, вы могли лишь пожаловаться его менеджеру. С помощью связей можно было добиться критической статьи в газете или небольшой заметки в гиде «Загат»[1]. Теперь одного замеча-

---

[1] Гид «Загат» — справочное издание, один из самых популярных в Америке кулинарных гидов.

ния в «Твиттере» может оказаться достаточно, чтобы разразился скандал, который будет обсуждаться неделями. Если один-единственный официант не оправдал ваших ожиданий, вы можете отправиться в Интернет и повлиять на формирование общественного мнения через «Йелп»[1].

Забегая в «Твиттер», я регулярно вижу в своей ленте возмущенные сообщения по поводу задержки рейсов и плохого обслуживания. (Черт побери, «Дельта»[2], как ты могла так поступить! Да ты знаешь, кто я такой?! У меня реально высокий рейтинг «Клаут»![3]) Один из моих любимых вирусных видеороликов называется «"Юнайтед" разбивает гитары». По сюжету пассажир сначала поет про «Юнайтед Эйрлайнз», а потом разбивает гитару во время одного из их рейсов. Как я уже упоминала ранее, и хорошие, и плохие отзывы распространяются по Сети с невероятной быстротой. Поэтому обыкновенный человек может оказаться здесь не менее влиятельным, чем профессиональный критик.

Для потребителя это потрясающее преимущество. Впервые покупатели и клиенты могут выносить свои вердикты на суд публики, влияя тем са-

---

[1] «Йелп» (англ. Yelp) — веб-сайт поиска услуг, где пользователи также могут участвовать в составлении рейтингов и обзоров.

[2] «Дельта» — авиакомпания США.

[3] Рейтинг «Клаут» (англ. Klout score) — система измерения совокупного влияния пользователя в сети Интернет. Часто используется в «Твиттере». Измерение происходит по числовой шкале от 0 до 100. Среднее значение — около 20, значение от 50 и выше считается очень высоким.

мым на репутацию компании. Ни один начальник не имеет подобной власти. Как я уже говорила, посты друзей оказывают столь сильное воздействие на формирование образа человека, что наши онлайн-личности перестают принадлежать исключительно нам. Теперь мы — продукт рассказов окружающих. Какую же из всего этого можно вынести мораль? Ведите себя с людьми вежливо и культурно, начиная с самой первой встречи. Все это — самопрезентация, проводить которую приходится каждый день в реальном времени.

Не забывайте и о том, что хоть у вас и есть рупор, кричать в него без перерыва не имеет смысла. Если кто-то чем-то обидел вас или оскорбил, не стоит тут же строчить жалобу в Интернет. Реакция должна быть адекватна сложившейся ситуации.

Не раз я размышляла о «пристыжении» в социальных сетях, которое давно вышло из-под контроля. В марте 2013 года в городе Санта-Клара в штате Калифорния проходила конференция разработчиков языка программирования «Питон». Одна женщина услышала, как несколько мужчин отпускают непристойные шуточки по поводу защитных заглушек, внешне напоминающих шнур от ноутбука. А потом ребята пошутили по поводу того, что якобы «стырили» чей-то код. То, что случилось дальше, наглядно иллюстрирует, как стремительно могут развиваться события в Сети. Вместо того чтобы обратиться к шутникам напрямую, женщина выложила их фотографию в «Твиттере» и обозвала их недостойными людьми. Завязалась острая дискуссия, и после нескольких тысяч ретвитов шутников уволили с работы. А потом новость об увольнении всколыхнула Интернет, запустив маятник «машины ярости», и вскоре уволили и саму женщину.

Таков мир, в котором мы живем. Один твит, одна фотография, один пост в блоге могут лишить человека работы и репутации и оставить его без средств к существованию.

Другой случай произошел с Линдси Стоун — девушкой, которая шутки ради подняла средний палец, стоя на земле Арлингтонского национального кладбища, а потом опубликовала фотографию на своей страничке в «Фейсбуке». Дурной вкус? Да. Но повод ли для увольнения? Сомневаюсь. Как бы то ни было, группа жестокосердных людей создала на «Фейсбуке» страничку под названием «Уволим Линдси Стоун», написала петицию на сайте Change.org и в конце концов заставила начальника Линдси снять ее с должности.

Итак, что же мы имеем в итоге? Увидев человека, который делает то, что вам не нравится, попытайтесь обсудить проблемный вопрос с ним лично, дайте ему время обдумать свое поведение и изменить его. Публичное обвинение всколыхнет интернет-орды, и остановить их будет уже невозможно. Сопереживание — главный атрибут живого общения — совершенно несвойственно участникам онлайн-движений.

Понятно, что в открытом конфликте нет ничего хорошего и приятного. Гораздо легче указать на неприятность и опубликовать пост, не выходя на прямой контакт с человеком. Но неужели, если бы вдруг речь зашла о вас, вы бы не хотели, чтобы с вами поговорили до публикации?

«Пристыжение» в Интернете может всерьез изменить чью-то жизнь. Моя подруга недавно убедилась в этом на личном опыте. Ей не доставили важную посылку только из-за того, что курьер не позвонил в дверной звонок, и подруга написала яростное сообщение на страничке «Ю-Пи-Эс» в «Твиттере». Вскоре после этого посыльный явился к ней домой, чтобы принести личные извинения. Позже подруга написала у себя на страничке в «Фейсбуке»: «Я и не знала, что доставлю столько неприятностей бедному парню. Уф. Иногда нужно смотреть на вещи в перспективе — чувствую себя виноватой».

Со многими из нас случалось подобное. Бывало, я принимала чужие слова чересчур близко к сердцу и в итоге предавала своих оппонентов анафеме вместо того, чтобы объяснить, как чувствую себя на самом деле. Иногда, публикуя в Сети пост, я пытаюсь представить, какую реакцию он может вызвать. А в последнее время я очень много размышляю и о собственном поведении. Стать посмешищем одинаково больно и в реальной, и в виртуальной жизни, поэтому, если вы не хотите, чтобы так в один прекрасный день поступили с вами, не поступайте так по отношению к остальным. Даже если вас так никогда и не найдут, вы все равно останетесь буллером[1].

Наверное, в мире, полном критиков, каждый из нас должен стать чуточку более толстокожим. И все же я чувствую, что это не выход. На самом деле мы нуждаемся совершенно в другом — в правилах и этикете, без которого невозможно обойтись в такого рода вещах. Сегодня каждый человек держит в кармане или в руках электронный эквивалент печатной прессы, однако это не значит, что с помощью цифровых устройств нужно сводить счеты.

Огромная сила — как говаривал великий философ Человек-паук (ну и Вольтер, конечно, тоже), — предполагает огромную ответственность. Мы не вправе рассчитывать, что Интернет разрешит все наши проблемы. Какой бы силой ни обладал голос каждого отдельного человека во Всемирной паутине, мы не должны обращаться к ней без необходимости. Обличая человека в социальной сети, вы как бы заявляете ему о том, что он не достоин второго шанса. Но большинство людей его заслуживает. Поэтому следует понимать, когда нужно использовать рупор гласности, а когда — разрешать проблемы в личном общении.

---

[1] Буллер — тот, кто занимается буллингом.

Советы для достижения технологического баланса в карьере

Смотрите на вещи в перспективе

Иногда социальные сети могут спровоцировать бурю, которая будет иметь разрушительные последствия для карьеры. Однако в большинстве случаев проблемы в Интернете вызовут лишь временные трудности и подстегнут чувство обиды. Все проходит, и именно поэтому лучше смотреть на жизнь в перспективе. Уинстон Черчилль однажды сказал: «Идя через ад, не останавливайтесь». Если же вас занесло в словесную перепалку, остановитесь, притаитесь и уворачивайтесь от ударов. Когда все закончится, у вас будет время прийти в себя.

Дружить с боссом — нормально

Исследование Уортонской школы под названием «О боже, мой босс только что добавил меня в друзья» показало, что люди боятся добавлять в друзья начальников, поскольку это кажется им нарушением всех правил должностной иерархии. Если вам тяжело общаться с боссом напрямую, вероятнее всего, ваш начальник испытывает те же самые трудности. Социальные сети помогут вам решить проблему — просто добавьте босса в друзья.

Используйте имеющуюся платформу для собственной выгоды. Добавьте начальника в список друзей, однако перед этим не забудьте изменить настройки приватности таким образом, чтобы он видел лишь то, то вы захотите ему показать.

Защищайте частную жизнь

Станьте экспертом во всем, что касается настроек приватности. Это может показаться нудным, однако временные затраты окупятся сполна. Естественно, контролировать происходящее на все сто процентов у вас вряд ли получится. Поэтому будьте умеренны в высказываниях. Если из-за своих откровений вы рискуете потерять работу или друзей, не стоит публиковать пост на эту тему. И следите за тем, чтобы другие тоже этого не делали.

Сетевые посты могут иметь
реальные последствия

Несколько лет назад мы поехали в Нью-Йорк сугубо женской компанией и так же, как и многие до нас, оказались выдворены из одного супермодного, оформленного в стиле времен сухого закона бара. Это заведение располагалось в Чайна-тауне и славилось чрезвычайно строгой охраной. Отведя нас в сторонку, вышибала заявил, что мы не соответствуем «дресс-коду», что в действительности означало, что мы «не разоделись, как шлюхи». Расстроенная происшествием, я схватила свой телефон и вылила раздражение на новом тогда сайте под названием «Твиттер».

«Худший бар всех времен — "Аптека" в Нью-Йорке. Худший вышибала — Джеймс. Вот будет облом, если их страничка в "Фейсбуке" "случайно" накроется».

В тот момент мне казалось, что это жутко смешно, и я не стала заморачиваться над сообщением. Мы с подружками отыскали несколько веселых местечек в Нижнем Ист-Сайде и отрывались до утра. На следующий день у меня в почте оказалась груда писем от разъяренных блогеров и комментаторов, недовольных моим мстительным замечанием по поводу клуба.

Эх, ребята.

Я и не думала, что мое сообщение так быстро разнесется по всему Интернету. Плохая шутка обрела собственную жизнь. Естественно, я не собиралась, да и не смогла бы удалить чужой профайл. Однако как человек, имеющий непосредственное отношение к «Фейсбуку», я совершила непростительную ошибку. Такие глупости нельзя было писать в «Твиттере».

Теперь я это поняла. Поэтому, отправляясь с друзьями покутить, хорошо бы захватить с собой кого-то, кто сможет оценивать происходящее объективно и в случае чего поможет вам отредактировать пост. Если вы выпили пару рюмок и почувствовали необходимость поболтать со всем Интернетом, это спасет вас от ошибки, которая может стоить вам карьеры. Но лучше всего наслаждаться отдыхом и вообще ничего не публиковать до следующего утра.

Проблема Златовласки

Если ваш блог просматривают коллеги по работе, вы вполне можете столкнуться с проблемой Златовласки[1], впав в одну из крайностей. Люди, которые пишут обо всем без разбору, рискуют влипнуть в большие неприятности. Но не писать вообще ни о чем тоже не выход. Оба варианта губительны.

Нужно делиться подробностями личной жизни, но знать меру. Глупо полагать, что сетевые рассказы о ваших похождениях никогда не всплывут в реальной жизни. Абсолютной секретности не существовало и до появления Интернета; конечно, ее нет и сейчас. Более того, теперь все наши мысли и дурацкие шутки сохраняются в архиве, к которому имеет доступ все человечество.

Пока я работала в «Фейсбуке», у меня была одна очень талантливая практикантка, которая, вероятно, не знала, что я читала ее «Твиттер». На своей страничке она во всех подробностях живописала свои загулы с алкоголем и... в общем, давайте назовем это «студенческой жизнью». Ее рассказы были увлекательны, но они ставили меня в неудобное поло-

---

[1] Имеется в виду сказка «Златовласка и три медведя» (в русском варианте — «Маша и медведи»). По сюжету Златовласка пробует кашу из трех тарелок. В тарелке папы-медведя каша оказывается слишком горячей, в тарелке мамы-медведицы — слишком холодной, а вот в мишуткиной тарелке — в самый раз.

жение как ее руководителя. Я не имела права указывать своей практикантке, что публиковать в «Твиттере». Владельцем страницы была она, и я не могла попросить ее завершить словесные излияния. С другой стороны, люди знали, что эта девушка работает на меня, и я чувствовала, что их отношение ко мне начинает меняться.

В конце концов я пригласила ее на разговор и сказала: «Если хочешь и дальше публиковаться в "Твиттере", будь благоразумна. Не стоит выставлять себя и меня в отрицательном свете». Девушка согласилась, и дальше все было хорошо.

Возможно, это кажется очевидным, но нелишним будет повторить еще раз: всегда думайте, прежде чем твитнуть что-либо. Если ваши действия грозят увольнением или даже нелегальны, не стоит об этом писать. Честнее вы от этого не станете, а вот выставить себя дураком вполне сможете. Порой самая безопасная позиция — воздержание. Если кадровый отдел вашей компании навевает на вас ужас, публикуйте посты особенно осторожно.

Если вы претендуете на должность в крупной компании — да и в компании любого размера, — не стоит полагать, что заметки с метками #секс, #наркотики, #большенаркотиков и даже #ещебольшенаркотиков произведут хорошее впечатление на перспективного работодателя. Естественно, ваша онлайн-личность — продолжение вас самих, но не забывайте, что даже в реальности есть вещи, о которых разумнее умолчать.

Делитесь самыми глубокими переживаниями с друзьями. На работе существуют рамки. Фотографии с весенних каникул вашему боссу видеть ни к чему. Чаще всего людей интересуют обычные вещи: фотографии детей, последние обновления в «Ферме»[1].

Хотя вот это лучше убрать. Ваши достижения на «Ферме» никому не интересны.

---

[1] «Ферма» (англ. «Farmeville») — популярная игра в сети «Фейсбук».

В 2012 году меня вновь пригласили на Международный экономический форум в Давосе. Теперь не в качестве представителя «Фейсбука», а в качестве гендиректора собственной медиакомпании. И снова я пела перед вечерней трапезой в канун Шаббата. На этот раз — песню «Шолом-Алейхем».

Я согласилась без колебаний. Взяв микрофон, я обвела взглядом зал и увидела множество знакомых лиц. Я вспомнила детство и маленький городок Доббс Ферри. Подумала о Бренте и Ашере — о семье, которая ждала меня в Калифорнии. А еще я подумала о тех, кто не мог быть с нами и кого мы славили в тот День памяти жертв холокоста.

Я начала песню, и вскоре ко мне присоединились все остальные. Этот момент был волшебным, но очень коротким.

Я прошла долгий путь. За последние несколько лет мне довелось узнать, что такое риск. Я рисковала в личной и в профессиональной жизни. А еще я разгадала самый важный секрет: обе эти жизни — части одного целого. Их невозможно разделить, поэтому прожить их нужно максимально честно.

Глава 9

точка **сообщества**

Я свожу концы с концами с помощью своих друзей (и «Кикстартера»)

В этой главе мне хотелось бы поговорить об одной из самых сложных, но при этом и самых приятных сторон деятельности в социальных сетях — помощи людям и обществу.

Мы уже много рассуждали о том, как технологии меняют повседневную жизнь и усложняют нашу дружбу, любовь и карьеру. Как показывают все вышеупомянутые истории и примеры, серьезность этих проблем не стоит недооценивать. Сегодня, если мы будем относиться к технологиям безответственно, последствия не заставят себя долго ждать.

Нужно рассматривать жизнь в перспективе. Технологии — только средство, которое можно использовать как во благо, так и во зло. В финале книги мне хотелось бы обсудить те возможности, которые дают нам шанс улучшить жизнь в этом мире.

Впервые я столкнулась с этим в 2007 году в тяжелых, трагических обстоятельствах. Утром 16 апреля 2007 года студент Вирджинского технологического университета, находящегося в городе Блэксберге в штате Вирджиния, открыл беспорядочный огонь по живым мишеням. Тридцать два человека оказались убиты и семнадцать ранены, прежде чем убийца застрелился сам. Это был худший расстрел студентов в истории Соединенных Штатов.

В последующие дни на «Фейсбуке» начало происходить нечто удивительное. Многие из тех, кто испытывал боль и тоску, попытались выразить свои чувства одним и тем же способом. Лента новостей наполнилась сообщениями о том, что многие из друзей сменили фотографии в профайлах. Теперь на их аватарках отображались буквы «ВТУ» — аббревиатура названия Вирджинского технологического университета — на черной траурной ленте. В этом спонтанном выплеске эмоций люди по всей Америке и даже из других стран выражали сочувствие жертвам и протест против ужасающей жестокости произошедшего.

Спустя какое-то время черные ленты исчезли и люди вернули на место привычные фотографии. Однако увиденное по-настоящему потрясло меня.

«Фейсбук» создавался как место для общения на обыденные, тривиальные темы. Студенты университетов обменивались здесь сообщениями, публиковали фото совместных обедов и прогулов. Трагедия в Вирджинском технологическом университете показала, что «Фейсбук» и другие социальные сети вышли на новый уровень, сформировав пространство не только для общения, но и для коллективной деятельности. И это лишь один пример массового объединения людей в Интернете.

Социальные сети придают значимость голосу каждого человека, и порой наступают моменты, когда голоса сотен, тысяч, миллионов людей сливаются в один общий хор. Сначала свое мнение высказывает в Сети один человек, затем его сторону принимают друзья, потом друзья друзей и так далее. Это мир сарафанного радио. Общими усилиями менять реальность гораздо проще — для этого есть множество причин и множество способов.

За последние несколько лет в Интернете произошла настоящая революция в сфере благотворительности. Люди начали активно жертвовать деньги на благие нужды и цели. Каждый ноябрь в Интернете проходит акция под названием «Мовембер», в ходе которой мужчины отращивают самые невероятные усы, а потом гордо демонстрируют их в Сети с целью обратить внимание окружающих на проблему рака простаты. Порой в дни рождения друзей мы становимся свидетелями того, как люди «жертвуют свой день рождения» на благотворительность. Существует огромное количество приложений для сбора средств, и порой суммы получаются очень значительными. В приложении «Фейсбука» под названием «Козес»[1] зарегистрированы контак-

---

[1] От англ. «causes» — причины, цели, поводы.

ты ста миллионов людей и триста пятьдесят тысяч причин, требующих сбора средств. Приложение уже собрало около тридцати миллионов долларов пожертвований на разные цели — от борьбы с раком до остановки геноцида.

Часто можно увидеть примеры того, как граждане и потребители пытаются повлиять на решения правительства, корпораций и институтов. Технические средства становятся весомым преимуществом в руках тех, на кого раньше не обращали никакого внимания.

В марте 2012 года хьюстонская мама и блогер Беттина Сигель написала петицию на сайте Change.org, попросив Министерство сельского хозяйства США прекратить использовать фарш из постной говядины в школьном питании. Этот фарш, в простонародье известный как «розовые сопли», никак не мог быть полезен для детей. Через девять дней после утверждения петиции под ней подписалось более двухсот тысяч человек. С этого момента начались публичные дебаты о потенциальном вреде, который наносят здоровью детей «розовые сопли». В конце концов дебаты закончились тем, что Министерство сельского хозяйства США разрешило школьным округам самим решать, исключить или оставить фарш в меню школьников.

Одна возмущенная мама создала движение, которое затронуло целую индустрию, собрав армию сторонников, и в итоге добилась того, чего годами требовали сторонники здорового питания и знаменитые повара.

В главе 3 мы уже обсуждали роль социальных сетей в формировании политического курса страны. За последние несколько лет мы не раз становились свидетелями того, как активные граждане организовывали целые уличные движения при помощи социальных сетей, мобильных телефонов и Интернета. Теперь, когда люди хотят перемен, внимание властей приковано не только к тем, кто выходит на улицы, но и к тем, кто орудует в Сети. И сердцем движения чаще всего оказываются последние. Во время Арабской весны, иранской «Зеленой революции» 2009 года, экономических протестов в Европе и американских выборов 2012 года все мы могли видеть, как быстро и легко сетевые движения перетекали на улицы многих городов.

Конечно, нельзя не задаться вопросом, сможет ли пара долларов на чей-то «жертвуемый на благотворительность» день рождения, изменение аватарки, спонсирование одной из «причин» на «Фейсбуке» или ретвит чьей-то просьбы о помощи действительно кому-то помочь. Бывает, такую деятельность называют «активизмом лентяев», или «слактивизмом»[1]. Справедливо также и сомневаться в том, много ли в реальной жизни истинных сторонников онлайн-движений.

---

[1] Слактивизм (от англ. слов «slack» — лентяй и «activism» — активная деятельность, активизм) — форма интернет-деятельности, не несущая в себе никакой реальной пользы, однако дающая чувство сопричастности общественной жизни.

Ученые и исследователи давно бьются над этими вопросами. Но данные говорят сами за себя. Влияние социальных сетей на человечество вовсе не миф. Сарафанное радио работает крайне эффективно и оказывает заметное воздействие на современную реальность.

В 2010 году во время промежуточных выборов в Конгресс ученые Университета Калифорнии в Сан-Диего и аналитическая команда «Фейсбука» провели совместное исследование с целью выяснить, как социальные сети влияют на явку избирателей. Естественно, сами сотрудники «Фейсбука» к тому времени уже убедились в том, как заразно бывает сетевое поведение. В преддверии выборов мы не раз обсуждали, что «Лента новостей» могла бы гораздо эффективнее убеждать пользователей «Фейсбука» пойти на выборы, чем традиционный скучный ролик о гражданском долге. Я помогла создать баннер, который в день выборов в «Ленте новостей» увидели шестьдесят миллионов людей. На баннере красовалась кнопка с надписью «Я проголосовал», а рядом с ней отображался список друзей, которые на нее уже нажимали. Контрольная группа исследования видела баннер с одним только призывом проголосовать, без социальных данных.

По окончании выборов исследователи проверили списки проголосовавших, чтобы понять, какая из групп голосовала активнее. Каковы же оказались результаты? Среди тех, кто имел перед глазами «социальную» информацию, проголосовавших оказалось на 2% больше, чем среди тех, кто видел только основное сообщение. Возможно, звучит не слишком убедительно, однако в реальной жизни эти два процента составили около 340 000 людей. В напряженной борьбе именно эти два процента могли сыграть решающую роль, чтобы склонить перевес на сторону того или иного кандидата.

С течением времени роль Интернета как рупора гласности только растет. В марте 2013 года Верховный суд США решил провести дебаты о будущем однополых браков. В понедельник, 25 марта, одна из крупнейших ЛГБТ-организаций США «Кампания за права человека» попросила пользователей «Фейсбука» сменить свою фотографию на розовый знак «равно» на красном фоне, если они поддерживают идею равноправия всех браков. Группа поместила символ на своей странице в «Фейсбуке» и предложила всем использовать его.

На следующий день миллионы людей по всей Америке и в мире изменили свои фотографии, используя различные вариации предложенного знака. Когда исследовательская команда «Фейсбука» заглянула в данные, оказалось, что за 24 часа в США фотографии сменило примерно на 2,7 миллиона, или на 120 процентов, больше людей, чем в обычный день.

Вот что бывает, когда люди начинают отстаивать свои убеждения при помощи технологий. На защиту идеи поднимаются миллионы, и эффект ошеломляет.

Исследование «Центра гуманитарных технологий» 2012 года показало, что каждый пост, который мы публикуем на «Фейсбуке», в среднем может прочитать около 150 000 человек. Сюда входят и ваши друзья, и друзья друзей. Когда вы публикуете сообщение в Интернете, ваш голос эхом разносится по Сети, рождая новые темы для обсуждения. И все эти разговоры ведут к появлению новых идей, а идеи — к действиям. Мы самое могущественное поколение в истории человечества. Если уж нам под силу изменить мир, так почему бы не заняться этим прямо сейчас?

Начните с малого

Каким же образом мы можем изменять мир и влиять на происходящее? Как одному человеку создать движение, в котором примут участие тысячи или даже миллионы людей? Чтобы получить ответ на эти вопросы, я предлагаю вам вернуться вместе со мной в 2010 год.

Двенадцатого января 2010 года всего в двадцати пяти километрах от столицы карибского государства Гаити Порт-о-Пренса случилось мощное землетрясение. Менее чем за минуту тысячи домов и других строений оказались разрушены, сотни тысяч людей погибли, а миллионы остались без крыши над головой.

Когда вечером 12 января начали появляться первые сообщения о катастрофе, я была в другой реальности — метафорически и физически. В тот момент я стояла в холле роскошного отеля «Венеция» в Лас-Вегасе, где проходил торжественный вечер Стэнфордской бизнес-школы, в которой тогда учился мой муж. Каждый год все студенты по традиции одевались в костюмы 1970-х годов и на одну ночь приезжали в Вегас. Так что, когда «Си-Эн-Эн» начала транслировать репортажи с места событий, мы были там, среди людей в блестящих комбинезонах, пиджаках эпохи диско и штанах с непропорционально большими отворотами.

Я понимала, что должна вернуться домой как можно скорее и попросить свою команду на «Фейсбуке» разобраться с обсуждениями. Мы с Брентом нырнули в кафе, расположенное в холле, и быстро, с помощью ноутбука и двух сотовых телефонов, попытались перенести время моего вылета и связаться с командой.

И вот в этом кафе меня и застал звонок из Белого дома. (Здорово, не правда ли? Как такое могло произойти с простой девчонкой вроде меня?)

Это оказался Мэйкон Филлипс, ответственный в Белом доме за новые направления в СМИ.

— Рэнди, я пытаюсь дозвониться всем своим знакомым в Кремниевой долине. Нам нужна помощь технологических компаний, чтобы освещать события на Гаити. Нам надо, чтобы «Фейсбук» кое-что сделал.

Правительство США оказало Гаити большую поддержку. По всей стране были организованы сборы средств и гуманитарной помощи пострадавшим. Белый дом уже успел поработать со многими партнерами и теперь планировал запустить систему онлайн-пожертвований. Однако у правительственной команды оказалось какое-то свое, особенное видение использования «Фейсбука».

— У вас, ребята, самая большая аудитория в Сети. И это единственный способ для нас достучаться до масс. Поможете рассказать обо всех кампаниях, которые организовывает правительство?

Ого!

Я быстро выехала в аэропорт. Возвращаться в офис нужно было прямо сейчас. К счастью, на борту самолета был Интернет, так что во время полета я общалась со своим коллегой Адамом Коннером. К моменту приземления самолета мы с Адамом успели набросать примерный план странички-портала, где пользователи могли получить доступ к информации о сборе гуманитарной помощи и проведении восстановительных работ.

В течение нескольких следующих часов множество людей работало вместе со мной, чтобы воплотить нашу идею в реальность. Ночь прошла в адреналиновом угаре, однако меня не покидало чувство, что я творю добро. На следующее утро мы запустили страничку под названием «Помощь жертвам катастрофы». Это был своего рода информационный центр для отдельных людей, некоммерческих организаций, политиков и всех тех, кто участвовал в восстановлении Гаити. Там можно было найти последние новости о гуманитарной помощи и внести свою лепту. С момента землетрясения не прошло и суток.

Но люди уже постили на «Фейсбук» по полторы тысячи новостных заметок о Гаити в минуту, а на счета «Красного Креста» и «Оксфама» поступали сотни тысяч долларов, которые перечислялись через страницы организаций. Аудитория «Помощи жертвам катастрофы» стремительно росла. Позже мы опробовали новую тактику и, чтобы расширить охват, начали проводить онлайн-встречи с известными личностями, организациями и группами, начиная с Организации Объединенных Наций и заканчивая «Линкин Парк». Кроме того, люди жертвовали средства через магазин виртуальных подарков на «Фейсбуке». Всего за один день мы стали частью плеяды интернет-компаний, принимавших участие в организации реальной помощи людям.

Порой я вспоминаю, насколько эффективным оказалось это онлайн-движение, и понимаю, что в тот день я получила серьезный урок. Все перемены начинаются с малого. Кампания по оказанию помощи Гаити в конце концов привлекла миллионы людей, собрала огромные денежные суммы и оказала положительное влияние на жизни пострадавших от катастрофы. Вот только в начале все было по-другому. Все началось с телефонных переговоров, электронных писем и просьб о помощи, которые, нарастая подобно снежному кому, повлекли за собой остальные события. Никто из создателей странички «Помощь жертвам катастрофы» даже не предполагал, насколько популярной она станет и какие массы сторонников завоюет. Нас это не заботило. Перед нами стояла задача, которую необходимо было выполнить, и мы сфокусировались на том, чтобы сделать это как можно быстрее и качественнее. Нам хотелось, чтобы страничка скорее начала приносить пользу. И в конце концов так и получилось.

К сожалению, множество благотворительных организаций действуют по совершенно иному принципу. Работая в «Фейсбуке», я сталкивалась с группами, основной целью которых было завоевать как можно больше последователей и упрочить свои позиции в рейтинге. Статистика волновала их гораздо больше, чем реализация поставленных целей и реальная помощь людям.

И все же, как завоевать популярность в Сети? Вместо того чтобы концентрироваться на количестве пользователей, убедитесь для начала, что привлекли правильных людей.

Белому дому удалось организовать интернет-кампанию по оказанию помощи Гаити при поддержке людей, занимающих ключевые должности в ведущих организациях Кремниевой долины. Нужная страничка никогда бы не появилась без команды выдающихся профессионалов, которые работали всю ночь напролет, чтобы достичь цели.

Небольшая группка правильно подобранных людей вполне способна переломить ход истории. Тому существует множество примеров. В январе

2011 года Ваиль Гоним был директором по маркетингу представительства компании «Гугл» в Дубае. С началом Арабской весны Ваиль вернулся на родину, в Египет, чтобы принять участие в демонстрациях за политическую свободу. Он создал популярную страничку в «Фейсбуке», которая подстегнула многих египтян выйти на улицы в знак протеста. Сегодня Ваиль известен как один из самый молодых и отважных лидеров египетской революции.

Тем не менее саму революцию Ваиль чуть не пропустил. Через несколько дней после начала митингов сотрудники полиции схватили его и посадили в камеру. Никого из друзей и родных не оповестили о его аресте. Вполне возможно, ему так и пришлось бы сидеть в тюрьме до конца революции.

Но, к счастью, незадолго до ареста Ваиль обновил аккаунт в «Твиттере». «Молитесь за #Египет, — написал он. — Это ужасно, но, похоже, правительство собирается завтра начать войну против собственного народа. Мы все готовы умереть #25января». Из-за этого тревожного послания друзья и родственники Ваиля начали его поиски. Они прочесали все местные больницы и тюрьмы. Тем временем в Сети озабоченность исчезновением Ваиля только росла. Люди рассказывали истории о Ваиле и посвящали ему посты, и на двенадцатый день его все же освободили.

Ваиль сыграл в истории революции важную роль. Однако к освобождению его привела вовсе не мощь онлайн-активистов и не сила Интернета в качестве платформы для новых идей. Все произошло куда более прозаично: при помощи социальных сетей Ваиль общался с друзьями, семьей и ближайшими сподвижниками — и эти люди, не забывавшие о нем ни на минуту, сделали все возможное, чтобы найти и освободить его.

Когда в мае 2013 года мощный торнадо обрушился на Оклахому, организации смогли быстро отреагировать на случившееся лишь благодаря социальным сетям. В «Твиттере» по хештегу #OKNEEDS и другим подобным люди получали необходимую информацию о местонахождении пунктов первой помощи и бесплатного питания и даже розеток для подзарядки севших аккумуляторов. «Реддит» — сайт, за несколько недель до этого сыгравший огромную роль в идентификации личности террористов с Бостонского марафона, — теперь принялся за составление списков пропавших людей и утерянных во время торнадо предметов. Социальные сети дали всем возможность сделать хоть что-то полезное, а не сидеть сложа руки.

В 2012 году «Красный Крест» провел исследование, которое выявило, что 76% людей, переживших в 2011 году природные катаклизмы, обращались за помощью к своим друзьям и знакомым через социальные сети. Сорок четыре процента людей предпочли социальные сети звонку в службу спасения и попросили друзей вызвать помощь и связаться с нужными организациями. Тридцать семь процентов использовали социальные сети, чтобы получить крышу над головой, материальную помощь и поддержку. После урагана «Сэнди» 23 сотрудника «Красного Креста» мониторили около 2,5 миллиона твитов и других постов, имевших отношение к катастрофе.

Бывает так, что в миллионах нет нужды — достаточно и нескольких человек, которым не все равно. Именно поэтому все онлайн-движения во имя добра должны начинаться с налаживания контактов и создания сплоченного эффективного ядра.

Необходимо также понимать, что получить реальную поддержку будет непросто. Пассивное восприятие информации и молчаливое одобрение пользователей не сыграют для проекта никакой роли. Чтобы превратить небольшую группу людей в мощное движение, придется всерьез потрудиться. Всеми правдами и неправдами нужно будет склонить людей принять активное участие в процессе и совершать реальные действия.

Для этого можно просто попросить людей процитировать сообщение или сменить картинки в профилях, пригласить их на специально организованные мероприятия или предложить делиться своими идеями, выкладывая видеоролики на «Ютьюб» и публикуя посты на своих страницах. Но можно пойти дальше. Есть и другие, гораздо более оригинальные способы заставить людей действовать.

В качестве яркого примера можно привести неожиданный ход Барака Обамы, который в 2008 году сумел собрать средства на избирательную кампанию весьма нетривиальным способом. Вместо того чтобы традиционно просить субсидий у больших корпораций, Обама решил обратиться к онлайн-пользователям. Будущий президент попросил их внести на счет кампании небольшие суммы и пригласить к участию своих друзей. Более 90% пожертвований не превышали ста долларов, однако общая полученная сумма выдвинула Обаму на лидирующие позиции и помогла ему выиграть гонку. Вскоре после этого события в Интернете появилось множество сайтов для сбора средств, включая «Кикстартер», «Краудрайз» и «Индигого».

«Кикстартер» — ярчайший пример того, как важна сейчас лепта каждого человека. С помощью этого сайта люди собирают средства на креативные проекты. Небольшие пожертвования вместе превращаются в значительные суммы, на которые снимают оригинальные фильмы, ставят спектакли, создают музыку, игры и новые изобретения. До появления «Кикстартера» «покровителем искусства» можно было стать, лишь пожертвовав гигантскую сумму местному музею или оперному театру. Теперь спонсировать искусство может каждый. Сайт был запущен в 2009 году, и с этого момента около четырех миллионов людей пожертвовали более 588 миллионов долларов на более чем 40 000 проектов, начиная с «умных часов» компании «Пеббл» и заканчивая 10% фильмов кинофестиваля «Сандэнс» 2012 года. А в 2013 году документальный фильм «Невинная» первым из «кикстартеровских» фильмов получил «Оскар». Так добровольная помощь миллионов интернет-пользователей позволяет деятелям искусства и бизнесменам создавать инновации и реализовывать разнообразные формы культурного самовыражения.

Хотелось бы заметить еще вот что: иногда во время организации нового проекта люди бывают крайне озабочены независимостью, из-за чего пытаются противопоставить себя «конкурентам» — тем, кто работает в той же отрасли или преследует схожие цели. Я бы предложила таким людям мыслить шире.

Чтобы достичь успеха, нужно уметь работать с людьми, а если вы двигаетесь в перспективном направлении, неизбежно найдутся те, кто будет преследовать те же цели. Если вы на самом деле хотите достичь результата, засуньте подальше свое эго и поищите подходящих партнеров среди конкурирующих организаций. А затем работайте с ними вместе.

Кремниевая долина имела отношение к нескольким проектам, ставшим уникальными лишь благодаря тому, что к сотрудничеству подключились жестко конкурирующие компании. Во время предвыборной гонки мы работали бок о бок с «Гуглом» и «Твиттером». А непосредственно в день выборов 2008 года каждый из пользователей «Фейсбука» мог видеть на своей страничке карту «Гугла», показывавшую местоположение ближайших избирательных участков. По окончании выборов мы с представителями «Гугла» и «Твиттера» выступили на семинаре Стэнфордской бизнес-школы. Естественно, стихийное бедствие на Гаити также стало беспрецедентным поводом для объединения всех предприятий индустрии. «Фейсбук» предоставил Федеральному агентству по чрезвычайным ситуациям место для проведения круглого стола, в котором приняли участие ведущие сотрудники многих компаний Кремниевой долины. Кроме того, мы с «Гуглом» работали над рекламой их приложения для поиска людей.

Итак, если столь серьезные конкуренты смогли объединить усилия ради благих целей, то почему бы и другим компаниям не последовать их примеру? Бывает, на первых порах лучшим вариантом оказывается как раз сотрудничество с коллегами по индустрии: кросс-промоушн, взаимная поддержка в привлечении аудитории и увеличении трафика.

С другой стороны, насколько бы кризисным ни было событие, постепенно интерес к нему начинает угасать. Существует естественный лимит вовлеченности в происходящее, который сокращается с появлением у человека собственных проблем. Трюк в том, чтобы создать неравнодушное сообщество, сердцем которого станет группа активных и интересующихся проблемой людей. Тогда у вашего сообщества будет шанс остаться на плаву даже после того, как люди прекратят перечислять деньги в фонд «Красного Креста» и вернутся к нормальной жизни.

Здесь-то и начинается эффективный сторителлинг[1].

Сила сторителлинга

В 2010 году «Фейсбук» достиг невероятного
рубежа в пятьсот миллионов активных пользователей. Компания решила отметить это событие, и тут
же начались жаркие дискуссии о том, как лучше это
сделать. Устроить большую вечеринку? Создать
видео об эволюции «Фейсбука»?

Момент был знаковым не только для компании,
но и для множества замечательных людей. Однако
мне казалось, что основное внимание не должно
уделяться самой компании. Я всегда считала, что
сила «Фейсбука» не в мощной платформе, а в том,
что с этой платформой делают люди. Рядового
пользователя не заботит, сколько у нас серверов и
много ли народу сидит на сайте. «Фейсбук» позволяет им поддерживать отношения с родными и
близкими — вот что главное.

Однажды мы с моим коллегой Мэттом Хиксом
отправились на обед в кафе, где у нас завязался разговор о том, как здорово было бы объехать на авто-
бусе всю Америку и поспрашивать людей, как технологии изменили их жизнь к лучшему. Так родилась идея «Историй "Фейсбука"». С автобусом у

---

[1] Сторителлинг (дословно: «рассказывание историй») — вид
интернет-активности, при котором люди делятся собственным жизненным опытом посредством написания рассказов
и заметок о жизни.

нас, конечно, не сложилось, зато мы смогли создать приложение, освещающее жизни людей, сообществ и проектов, которым помог «Фейсбук».

Основываясь на предыдущем опыте, я понимала, что в приложении стоит собрать не только занимательные истории из жизни, но и примеры успеха, которые могли помочь новым брендам выйти на «Фейсбук». Мне хотелось сделать нечто такое, что можно было бы воспроизводить на других страницах. «Истории» не получили внутренней поддержки или отдельной команды инженеров. Приложение разрабатывалось с помощью фирм-посредников, с которыми мог сотрудничать каждый, и продвигалось исключительно посредством рекламы, которая была доступна всем.

Вместе с дизайнерской фирмой «Джесс3» мы создали приложение, которое освещало истории пользователей и наносило их на карту мира. Кроме того, оно было «вкладышным», то есть, к примеру, «Красный Крест» мог разместить его на своей страничке в «Фейсбуке» и попросить подписчиков делиться в этом разделе историями об оказании медицинской помощи жертвам стихийных бедствий. Ну а «Бейбис Эр Ас» могли использовать приложение для коллекционирования рассказов о социальных сетях и родах.

Одним из первых в приложении поделился своей историей Бен Тейлор — семнадцатилетний парень из Кентукки, который использовал «Фейсбук» для восстановления городского летнего театра, разрушенного наводнением. Отдельного внимания заслуживает история мамы из Феникса Холли Роуз, которая, прочитав пост одного из друзей, решила проверить свою грудь на предмет подозрительных уплотнений. В груди действительно обнаружилась опухоль, а вскоре Холли узнала, что у нее рак. На «Фейсбук» женщина обратилась в поисках поддержки, а после лечения организовала информационную кампанию под названием «Не надо рака дожидаться! Не забывайте проверяться!».

Бесчисленное количество людей делилось в приложении своими историями о том, как изменилась и перевернулась их жизнь, и благодарили друг друга за поддержку.

«Истории» даже привлекли внимание Джастина Бибера, который разместил ссылку на них на своем веб-сайте. В итоге приложение начало так стремительно засоряться одинаковыми историями о беззаветной любви к Джастину, что нам пришлось его временно закрыть. Хотя многие из моих коллег тогда возненавидели юного певца, я была впечатлена получившимся эффектом.

В целом проект имел огромный успех. Истории, которыми делились люди, были вдохновляющими, пикантными и запоминающимися. Оглядываясь назад, я понимаю, что «Истории "Фейсбука"» стали одним из самых важных и человечных дополнений к основной платформе, над которым я когда-либо работала.

Фундамент человеческого общения — вербальный контакт. Именно поэтому простой, информативный и правдивый сторителлинг позволяет аудитории увидеть себя глазами рассказчика, посмотреть на свою жизнь как бы со стороны. Так возникает эмпатия. Рассказ — это клей, соединяющий вместе части мозаики человеческого опыта; это способ понять и помочь.

К сожалению, попытки собрать средства на социальные нужды далеко не всегда оказываются успешными. Побочным эффектом многочисленных благотворительных кампаний стало то, что люди пресытились трагедиями. Как и многие из вас, я постоянно получаю запросы с «Кикстартера», «Индигого», «Кивы», Causes.com и многих других похожих сайтов. Во время выборов 2012 года количество обращений ко мне от лиц, заинтересованных в победе Обамы или Ромни, достигло критической отметки. Мне приходило бессчетное число сообщений, многие из которых выглядели формально и безлико — люди, составлявшие их, знали лишь мое имя и больше ничего.

Если вас постоянно просят поучаствовать в спонсировании «благотворительного дня рождения», или забега, или прогулки, или полумарафона, или вообще СантаКона[1], рано или поздно вы начнете отклонять все предложения подряд.

---

[1] СантаКон — предрождественский фестиваль, во время которого все участники переодеваются в костюмы Санта-Клаусов и шествуют по улицам города. Изначально являлся способом сбора средств на благотворительные нужды, однако со временем превратился в традиционный рождественский парад.

Эффективный сторителлинг позволяет затронуть чувствительные точки человеческой души. Хорошая история может не только завоевать внимание людей, но и побудить их к сопереживанию.

Если организация пытается собрать средства для голодающих детей, объявить, что каждую ночь множество малышей отправляются спать голодными, будет недостаточно. Чтобы вызвать сочувствие, придется стимулировать чувство эмоционального единения с человеком, реально борющимся за жизнь — возможно, даже в другой стране, — которому аудитория еще не может сопереживать по-настоящему.

Однажды ко мне на электронную почту пришло письмо от друга, предлагавшего мне финансово поучаствовать в кампании против рассеянного склероза. Это был один из немногих запросов, который вызвал у меня глубокий эмоциональный отклик. Обычно такие вещи проходят незамеченными, но этот запрос содержал видео, которое я не смогла не посмотреть. В ролике показывали свадьбу. Жених поднимал из инвалидного кресла маму, страдающую рассеянным склерозом. Они танцевали, а за кадром играла нежная музыка. То видео показалось мне самым трогательным из всего, что я когда-либо видела в Интернете. Вытерев слезы, я тут же нажала на кнопку «Сделать пожертвование».

Есть причина, по которой телевизионный ролик, показывающий несчастных одиноких животных под песню Сары Маклахлан, заставляет меня тут же тянуться к пульту дистанционного управления, а от рекламы «Проктер энд Гэмбл» «Спасибо, мама!», который крутили во время Олимпиады 2014 года, я и вовсе чуть не выплакала все глаза. В них простые, близкие каждому человеку истории рассказываются лишь при помощи музыки и видеоряда.

Естественно, это не означает, что лучшие видео обязательно должны быть грустными и слезливыми. Главное здесь — сама история. Эффективная реклама часто повествует о борьбе одного человека или целой группы, она затрагивает общечеловеческие темы и посвящена нашему стремлению преодолеть жизненные трудности. Онлайн-благотворительность нуждается в рассказах об отдельных, конкретных личностях и всегда обращена к людям по другую сторону экрана.

Вот почему меня так поразил «феномен Кони». В 2012 году социальные сети вдруг начали широко рассказывать об озабоченности мирового сообщества действиями «Господней армии сопротивления», состоящей из похищенных детей. Армия эта орудовала в Северной Уганде и соседних странах, а предводителем ее являлся некто по имени Джозеф Кони. В марте 2012 года группа под названием «Невидимые дети инкорпорейтед» выпустила тридцатиминутный фильм, который распространялся в социальных сетях с хештегами #сделатьконизнаменитым, #кони2012 и #остановитькони. Видео оказалось вирусным. Фильм очень быстро заработал десять миллионов просмотров и привлек к себе внимание всего мира.

Вскоре после этого, однако, «Кони 2012» пропал из виду. Многие организации, которые пытались привлечь внимание к проблеме годами, вдруг почувствовали себя отброшенными на обочину какими-то новичками. Никакого реального плана по прекращению деятельности Кони так и не было разработано. Затем один из создателей фильма опозорился на публике, и к активной деятельности компания больше не возвращалась. Джозеф Кони так и остался на свободе, а сам проект «Кони 2012» стал синонимом якобы грандиозного, а в реальности бессмысленного медиапредприятия.

Как бы то ни было, кампания «Кони 2012» была знаковой для своего времени и уже поэтому заслуживает внимания. Группа «Невидимые дети» затронула важную гуманитарную проблему, а затем, с помощью Интернета и социальных сетей, популяризировала ее по всему миру. Возможно, им так до сих пор и не удалось остановить «Господню армию сопротивления», однако Организация Объединенных Наций достигла в этом не большего успеха.

Какой же урок можно извлечь из всего этого? Проект «Кони 2012» стремительно набрал популярность благодаря тому, что видео, выложенное на «Ютьюбе», содержало хорошую историю. Фильм не просто рассказал о страданиях детей, он их показал. Создатели фильма превратили новостной сюжет в общечеловеческую катастрофу, осветив происходящее с гуманистической стороны. Снимали ли раньше фильмы о бедственном положении людей, живущих в столь отдаленных местах? Да, снимали, однако никто еще не использовал мощь Интернета для того, чтобы информировать огромное число людей за предельно короткое время. Возможно, у организации не хватило средств и возможностей, чтобы продолжить начатое дело, однако это не повод обесценивать то, чего им удалось достичь.

Не будем гадать, каким станет следующий «Кони 2012». Возможно все.

Мыслите глобально

В век Интернета расстояние больше не является препятствием для участия в каком-либо проекте. Пожертвовать средства на мероприятие, которое проводится в тысячах миль от вас, так же легко, как вручить деньги тому, кто стоит рядом. Просто зайдите в Сеть, нажмите «сделать взнос» — и готово. Или отправьте смс-сообщение. Так тоже можно.

Это означает, что сегодня больше не существует местных проблем. То, что в прошлом считалось делом лишь небольшой группки людей — ну, например, починка церковной крыши, — сегодня становится заботой всего мира. И в тот момент, когда мы пытаемся решить проблему, затрагивающую общечеловеческие мечты, желания и стремления, мы можем сподвигнуть к действию весь свет.

Взять, к примеру, историю Карен Кляйн. Карен работала сопровождающим школьного автобуса в северной части штата Нью-Йорк. В июне 2012 года она подверглась словесным издевательствам со стороны малолетних пассажиров. Дети сняли видео, в котором, помимо прочих гадостей, обзывали женщину «чертовой жирной задницей», и на следующий день выложили фильм в Интернет. Ролик озаглавили «Заставь автобусного надзирателя плакать». Вскоре видео просмотрели сотни, тысячи, а затем и миллионы человек. После того как видео получило широкую популярность, ответственные за издевательство дети были наказаны и принесли свои извинения Карен.

Однако на этом интернет-сообщество не остановилось. Спустя некоторое время совершенно незнакомый человек создал аккаунт на «Индигого» с предложением собрать 5000 долларов на отпуск Карен. Через месяц на счету женщины было уже 700 000 долларов. На часть этих денег женщина создала «Фонд против травли», а затем ушла на пенсию. Происшествие, которое раньше могло бы остаться проблемой одной-единственной местной школы, сегодня получило общемировую известность.

Вот что бывает, когда пытаешься подстегнуть внимание к проблеме. В мире, где вас слышат, будьте готовы получить ответ и поддержку. Каким бы делом вы ни занялись, мыслите глобально. Сегодня это жизненно необходимо. Каждое локальное событие и каждую локальную проблему можно вывести на глобальный уровень, заинтересовав даже тех, кто нечасто сталкивается с подобными вещами.

В конце 2010 года я вступила в Глобальный совет предпринимателей при Организации Объединенных Наций. В него вошли молодые люди, занимающие лидирующие позиции в различных отраслях промышленности, сферах гражданского общества и СМИ. Основная цель организации — решение общемировых проблем, начиная с войн и бедности и заканчивая изменением климата.

Лично я вступила в Совет лишь для того, чтобы привлечь внимание к одной конкретной проблеме: к проблеме малярии. Эта болезнь вовсе не является национальным бедствием Соединенных Штатов, и средний американец вряд ли станет о ней задумываться. Тем не менее в районе пустыни Сахара в Африке и в Юго-Восточной Азии малярия свирепствует по сей день. Мы организовали кампанию, в ходе которой попытались рассказать общемировую историю этой болезни, показать, как отдельные люди и народы борются с этим бедствием, и, конечно же, воззвать к доброте и сочувствию простых американцев. Во время онлайн-конференций и видеовстреч мы старались объяснить, сколько людей умирает из-за укусов обычных москитов, избежать которых не составляет особого труда, и проводили интервью с выжившими после болезни. С целью сбора средств на «Фейсбуке» была организована видеоконференция, где я поделилась историей о собственном знакомом из Стэнфордской школы бизнеса. Во время весенних каникул парень отправился в путешествие, заразился малярией и умер. Эта печальная история должна была стать свидетельством того, что малярия не просто далекая опасность — с ней может столкнуться кто угодно в любой точке мира.

Так или иначе, любые темы, связанные с надеждой или стремлением к преодолению — стремлением выжить, получить образование, прожить полную жизнь, избавиться от страха, унижений и боли, — имеют все шансы завоевать популярность среди широкой аудитории.

В январе 2012 года фотографии миллионов людей в социальных сетях внезапно «почернели». Это было сделано в целях протеста против виртуальной цензуры, которую пытались утвердить в двух законодательных актах: «Акте о прекращении онлайн-пиратства» и «Законе 2011 года о предотвращении реальных сетевых угроз экономическому творческому потенциалу и кражи интеллектуальной собственности». Некоторые мировые организации, в том числе «Глобал войсес онлайн» и «Википедия», поддержали акцию, отключив в знак протеста свои главные страницы. Хотя эти два акта имели отношение лишь к американскому законодательству, проблема задевала интересы всего интернет-сообщества, а значит, и всего мира, и мгновенно привлекла внимание международной общественности. Один из соучредителей «Википедии» Джимми Уэйлс так прокомментировал отключение заглавной страницы: «Мы хотим сообщить всему миру, что Интернет не допустит цензуры».

Оба законопроекта провалились. Уже на следующий день большинство инициаторов переменили свою точку зрения. Против актов выступили и многие депутаты как от демократической, так и от республиканской партий. И причиной тому послужил массовый поток протестных акций, в которых приняли участие миллионы людей и организаций со всего света.

Если вы когда-то мечтали изменить мир, сейчас самое время. Предоставьте людям возможность сделать что-то. Естественно, это «что-то» должно резонировать с миром, быть понятным и близким каждому человеку. Поэтому мы должны говорить на простом языке.

Бывает и так, что послание распространяется без помощи слов. Примером тому служит история «танцев» Мэтта Хардинга, двадцатидевятилетнего разработчика программного обеспечения из Коннектикута. Молодой человек прославился в 2005 году, когда снял на камеру свой танец в различных странах мира. Еще два видеоролика были созданы в 2008 и 2012 годах. Их также просмотрели десятки миллионов людей. Популярность роликов объясняется тем, что Мэтт танцевал не один, а вместе с различными группами людей, демонстрируя в каждом из танцев те общие гуманистические черты, которые присущи любому человеку от Массачусетса до Монголии.

Как в Сети, так и в реальной жизни все мы используем невербальные формы коммуникации, воспринимаем их и попадаем под их влияние. К ним относятся картины, мимика, музыка, символы, язык тела и, конечно, танец. Красный знак, который выбрали в качестве символа поддержки однополых браков, не содержал слов, однако оказался весьма эффективен. Произошло это, прежде всего, потому, что символ выражал мысль на общем визуальном языке, понятном и подходящем для создания мема. Термин «мем» был введен в обиход Ричардом Доукинсом для описания идеи, набирающей мощь за счет распространения в обществе посредством имитации и варьирования. Мем подобен биологическому гену, только применительно к идее.

Один из универсальных языков зародился недавно прямо на наших глазах — это язык хештегов. Хештеги — это слова, следующие прямо за символом «решетки». Их можно увидеть в Сети где угодно, однако особенно они популярны в «Твиттере» и «Инстаграме». Теговое слово становится своеобразным маркером, отправляющим вас по ссылке на другие твиты или фотографии, отмеченные тем же самым словом. Хештеги могут объединять различные платформы и указывать на солидарность с идеей, не важно, используются они в «Фейсбуке», «Инстаграме» или «Твиттере». Они даже могут быть написаны на транспарантах протестующих или нарисованы краской на стене. Выберите правильный хештег, и он поможет вам сообщить о проблеме всему миру.

Советы для достижения технологического баланса в вашем сообществе

Сегодня изменения происходят во всех сферах жизни общества, и порой они начинаются с простой фразы, которая следует за знаком «решетки».

Однажды смартфон осветит даже самые темные уголки мира. Когда это случится, будьте рядом, не выпускайте телефон из рук и следуйте этим советам, чтобы достичь высот.

Фокусируйтесь на людях, а не на «лайках»

Множество благотворительных организаций и групп мечтают обрести миллионы последователей и заработать бессчетное количество «лайков». Не стоит фокусироваться на цифрах. Помните, что все изменения начинаются с небольших групп заинтересованных лиц. Сложность в том, чтобы добавить ценности человеческим жизням. Формируйте интересный и увлекательный контент. Ценность социальной сети измеряется не количеством зарегистрированных пользователей, а качеством взаимоотношений, которые вы способны построить. Социальные сети позволяют нам находить подходящих людей, которым под силу организовать по-настоящему мощное и эффективное движение.

Меньше разговоров, больше дела

Интернет может помочь проинформировать общество о проблеме и поделиться ценными сведениями, однако, помимо этого, он является также платформой для совместной работы. Дайте своим сторонникам возможность проявить себя в действии. Попросите людей подписать петицию, составить письмо или поделиться мемом или предложите им пожертвовать деньги на благотворительность. Дайте им идею снять видео и выложить его на «Ютьюбе», поделиться своими мыслями в «Твиттере» или описать, что ваше общее предприятие значит для них. Изменения требуют действий. Так давайте заставим людей шевелиться.

Рассказывайте интересные истории

Изменения случаются, когда люди испытывают эмоциональный подъем. Так вдохновляйте их. Интернет — прекрасная платформа для сторителлинга. Используйте все средства «Ютьюба», «Инстаграма», «Фейсбука», «Твиттера», «Тумблера» и блогов, чтобы объяснять основы вашей кампании и облагораживать ее цели. Все любят интересные истории. Если хотите совершить переворот, сначала вам придется убедить окружающих в необходимости этой затеи, а потом показать всем непреходящую ценность человеческих жизней. В хорошей истории все это будет.

Используйте язык мира

Хотите сподвигнуть мир на что-то стоящее? Тогда придется выучить язык этого мира. И дело вовсе не в том, что ваши слова должны быть понятны, а в том, что порой придется обходиться без слов вообще. Любое искусство — картины, видео, музыка — во многих культурах является своеобразным языком общечеловеческих ценностей и чувств. Если ваше движение можно идентифицировать простым символом, трогательным видео или язвительным хештегом, эти формы коммуникации вполне способны пересечь географические границы и сподвигнуть мир к действию.

Когда я работала в «Фейсбуке», среди сотрудников огромной популярностью пользовалась страничка нашей «Кулинарной команды». Первоклассные шеф-повара готовили для всех работников «Фейсбука» вкусные бесплатные завтраки, обеды и ужины. Ценность этой привилегии я осознала лишь после того, как ушла из «Фейсбука» и мой холодильник превратился в хранилище банок с диетической кока-колой и бутылочек Ашера. Однажды «Кулинарная команда» решила, что размещать меню лучше всего не на двери кафетерия, а на специальной страничке, и с тех пор в Сети регулярно появлялись фотографии деликатесов дня.

Вскоре мы стали заходить на страничку по нескольку раз в день. Меню вывешивали всего за несколько минут до еды, а потому со странички мы не уходили, обновляя ее снова и снова до победного конца. Нам хотелось знать, что будет на обед. И если вдруг выдавался «день тако» или «день пасты», нужно было немедленно бросать все дела и бежать в кафетерий, чтобы не застрять в получасовой очереди.

Однажды я кое-что поняла. В офисе «Фейсбука» в Пало-Альто работало около тысячи человек. Но поклонников «Кулинарной странички "Фейсбука"» набралось около четырех тысяч. Это означало, что три тысячи человек, не имевших никакого отношения к работе в «Фейсбуке», просто хотели посмотреть, что мы едим на обед каждый день.

Та страничка вдохновляет меня и по сей день. С помощью общемирового языка фотографий вкусной еды шеф-поварам удалось заинтересовать множество людей из разных уголков мира.

Недавно мы разговорились о силе фотографий с создателем прекрасной службы доставки еды «Манчери», которая находится в окрестностях залива Сан-Франциско. Работники службы делают ежедневную интернет-рассылку меню с фотографиями блюд, которые можно заказать вечером. По словам моего знакомого, эти сообщения имели невероятно высокое число просмотров. Гораздо более высокое, чем бывает у подобных рассылок. Мой знакомый опросил несколько своих клиентов, и вот что удалось выяснить. Оказывается, рассылка воспринималась людьми как своего рода «пищевое порно». Покупатели заглядывали в меню каждый день, даже если находились за пределами города и не собирались делать вечером никаких заказов.

Естественно, умение затронуть эмоциональные струнки человеческой души, выразить свою мысль на всеобщем невербальном языке — это не просто талант внушать людям одинаковые чувства и заставлять их истекать слюной от голода. На самом деле здесь скрыто гораздо большее. Порой от умения убеждать зависит ход истории — так может быть сделан поворот в сторону войны или мира. И примером тому служит история Ронни Эдри.

В марте 2012 года графический дизайнер из Израиля Ронни Эдри в ответ на спор о войне между Израилем и Ираном опубликовал на своей «стене» в «Фейсбуке» пост, куда поместил свою фотографию с маленькой дочкой на руках. Подпись под фотографией гласила: «Жители Ирана, мы никогда не станем бомбить вашу страну. Мы [сердечко] вас». Вскоре пост скопировали тысячи людей, в числе которых были и иранцы. Некоторые из них опубликовали схожие ответы: «Дорогие израильские друзья! Я не испытываю к вам ненависти. Я не хочу войны. Любовь [сердечко] мир».

Внезапно благодаря социальным сетям между жителями Израиля и Ирана завязался диалог. Ронни Эдри совершенно случайно создал движение за мир между государствами, которое подхватили отдельные люди, выражающие свое доброе отношение друг к другу постами и «лайками» на «Фейсбуке» и других сайтах.

Возможно, простого выражения любви и дружбы недостаточно, чтобы прекратить войны, однако Ронни написал в одном из своих постов: «Восстановить мир на земле просто, нужно лишь начать с себя. Каждое посланное нами сердечко — это новый кирпичик, вложенный в фундамент мирной жизни. Пошли сердечко = восстанови мир».

Чтобы изменить мир, не нужно ходить далеко. Вокруг нас происходит множество вещей, которые отчаянно требуют к себе внимания. Научившись понимать друг друга и говорить на одном языке, мы сможем изменить мир к лучшему. Теперь в наших руках невероятные возможности.

#начнименятьмир

Глава 10

*Каждый человек сам
себе медиакомпания*

Было лето 2011 года. Стоя на кассе «Таргета» в Кремниевой долине, я решила быстро сыграть в «Энгри бердз». Зеленая свинья покачнулась, собираясь упасть... Вот-вот, уже почти...

— Черт побери!

Я приготовилась запустить следующую птицу, но тут раздался телефонный звонок. Предстоящий разговор был для меня очень важен, вот только застал он меня в абсолютно неподходящем месте. Звонил мой друг Эндрю Морс — генеральный продюсер «Эй-Би-Си ньюс». Мы целых полтора года работали бок о бок в 2007 и 2008 годах, когда «Фейсбук» объединился с «Эй-Би-Си ньюс», чтобы освещать ход предвыборной кампании, а затем еще раз, во время промежуточных выборов 2010 года.

— Рэнди, мои поздравления! Нас номинировали на премию «Эмми»!

Я не поверила своим ушам. Меня настолько поразила новость, что я смогла выдохнуть только: «Спасибо! Я тебя тоже поздравляю!» — после чего повесила трубку. Потом я добралась домой, ввела свое имя в поисковую строку «Гугла» и увидела, что действительно включена в список корреспондентов, номинированных на награду Национальной академии телевизионных искусств и наук за «Выдающееся освещение новостей в режиме реального времени» во время выборов 2010 года, когда «Фейсбук» также работал в партнерстве с «Эй-Би-Си».

Честно говоря, мне всегда казалось, что, если меня когда-нибудь и номинируют на премию, все будет совершенно по-другому. Я воображала, как мужчина в напудренном парике выходит из кареты, звонит в мой дверной звонок, а затем рукой в белой перчатке приподнимает серебряную крышку, и под ней, на блестящей тарелке, я обнаруживаю подписанный вручную конверт, в котором и лежит мое приглашение на вручение наград. Правда, звонок в «Таргете» оказался не менее запоминающимся, это уж точно.

Плюс ко всему, я должна честно сказать, эта номинация стала для меня большой честью.

Сотрудничество «Эй-Би-Си» и «Фейсбука» в 2010 году показало мне, насколько тесна сегодня взаимосвязь между интернет-технологиями и СМИ.

Пока «Эй-Би-Си» освещала ход выборов в эфире, я вела виртуальную конференцию в Аризонском университете. Передо мной стояла задача вплетать дискуссии пользователей, которые велись в политическом приложении «Фейсбука», в традиционную телепередачу. Таким образом серьезные новостные темы перемежались в онлайн-конференции с вопросами, волнующими обычных людей, — от понижения налогов и войны до легализации марихуаны. В телеэфире работала Диана Сойер, а мы с представителем «Эй-Би-Си» Дэвидом Мюром были выбраны в качестве онлайн-корреспондентов. На протяжении всего вечера мы обменивались репликами, поддерживая непрерывный контакт.

Это было необыкновенно волнующе. Пока телекамеры снимали происходящее, мы находились на связи с пользователями «Фейсбука». Я словно очутилась в самом центре новостного урагана: на наших глазах зарождался доселе невиданный способ информационного общения, объединяющий в себе черты новых и старых СМИ — Интернета и телевидения.

Я будто бы сидела на перекрестке, пытаясь одновременно говорить с телезрителями и вести диалог в Сети, периодически обращаясь к работавшей в прямом эфире Диане Сойер. По сути, революция телевещания разворачивалась на моих глазах, и этот переворот грозил исполнить давнюю мечту человечества слушать, говорить и быть услышанными.

Десять лет назад телевидение и кинокомпании имели монопольное право на производство и распространение информационного контента. Даже забавные любительские видеоролики транслировались исключительно на платформе «Самого смешного видео Америки».

Хотя сегодня об этом уже и не вспомнить, не так давно мы с трудом скачивали видео через старые модемы, снимали ролики жуткого качества на сложные камеры, а потом загружали наши творения в Сеть. Конечно, если в 1999 году вы использовали 3,5-дюймовую дискету, чтобы загрузить пятнадцатисекундный клип со своей «Сони Мавики»[1] на Broadcast.com, вас можно было назвать одним из продвинутых пользователей, но вы явно были исключением.

Сегодня возможность поделиться видео есть у каждого, и самые безумные футуристические мечты 1990-х годов воплотились в реальность. Теперь каждый из нас сам себе журналист, художественная галерея, газета, журнал и телеграфное агентство. Причем все одновременно.

И каждый сам себе медиаимперия.

Раньше, если вам хотелось завоевать внимание массовой аудитории — не важно, пытались вы организовать художественную галерею или шоу на телевидении, — сначала нужно было получить одобрение нескольких ключевых «стражей контента». К тому же подходящее помещение, да и свободное время в сетке вещания отыскать было не так-то про-

---

[1] «Сони Мавика» (англ. Sony Mavica) — общее название категории беспленочных фотоаппаратов, выпускавшихся компанией Sony и использовавших систему неподвижного хранения кадров «Video Floppy». Предшественник цифрового фотоаппарата.

сто. Поэтому, чтобы добраться до публики, любое начинание обязано было приносить прибыль.

Сегодня все по-другому. Если у вас есть смартфон с подключением к Интернету, в вашем распоряжении аудитория всего мира. Благодаря Интернету у нас больше нет информационных монополистов. И нет пределов человеческому самовыражению.

Художественная «сцена» больше не ограничивается культурными анклавами больших городов, и глобальные культурные стандарты могут прийти откуда угодно. Этому есть множество примеров: от «Гарлем Шейка» до «Гангнам Стайла», от «Кота-пианиста» до «Сердитого кота», от «Кота Ниана» до «Лил Баб» — конечно же, нельзя не упомянуть и о козах, которые кричат, как люди.

Это означает, что любой человек с аккаунтом в «Твиттере», оказавшийся в нужном месте в нужное время, может сделать прямой репортаж не хуже профессионального репортера. К примеру, во время трагедии на Бостонском марафоне «Твиттер» публиковал факты и информацию о ходе событий. Людям больше не нужны репортажи СМИ. Сегодня мы можем узнавать новости из первоисточника. В момент поимки виновного во взрывах 250 000 человек настроились на волну полицейского сканера и передавали запись в прямом эфире на сайте Ustream.tv. В итоге во время погони один-единственный сканер слушали 2,5 миллиона человек. Внушительный рейтинг для любого радио.

При удачном стечении обстоятельств и наличии кое-какого таланта случайный прохожий с айфоном может оказаться влиятельнее любого из ведущих новостных телеканалов. Естественно, это не имеет никакого отношения к умению сделать из репортажа шоу. В подобных случаях шоу может и не понадобиться. Пора принять правду: барьеры, сдерживавшие распространение информации, рухнули, и теперь все внимание человечества находится в нашем распоряжении.

Естественно, у демократизации вещания есть и обратная сторона. Исчезновение «стражей контента» вовсе не является абсолютным добром. Тот факт, что каждый человек сегодня — сам себе медиакомпания, не означает, что этот человек будет уделять внимание качеству своего продукта, а также придерживаться стандартов вещания.

Непрекращающийся поток «свежих новостей», столь характерный для социальных сетей, приводит к тому, что количество становится для нас важнее качества. Быть в курсе, быть одним из тех, кто знает, считается привилегией. Точность уступает место поспешности. Мы больше не обдумываем, не взвешиваем свое мнение. Чувства других людей и возможные последствия сказанного не берутся в расчет. Журналисты много говорят, но при этом почти не уделяют внимания реальным фактам, и из-за этого теряют понимание того, что делают.

Трудно жить в мире, где число знаков в твите не должно превышать ста сорока. Не стоит относиться к людям, как к источникам новостей. Репутацию, бизнес, правительство, искусство и идеи можно создать или уничтожить в мгновение ока с помощью одной-единственной кнопки.

Бесконтрольное распространение неточной или ложной информации может иметь реальные разрушительные последствия. Трейдеры с Уолл-стрит, действующие в рамках торговых алгоритмов, регулярно мониторят «Твиттер» на предмет новостей мирового уровня и, обнаружив плохие известия, заключают соответствующие сделки. А порой случается и так, что из-за домыслов коллективного разума человека могут ошибочно обвинить в преступлении.

Взять, к примеру, историю Сунила Трипати, студента Брауновского университета, который пропал незадолго до взрывов на Бостонском марафоне в апреле 2012 года. Когда начались активные поиски виновных, на первой странице «Реддита» — популярной онлайн-доски анонимных объявлений — была опубликована «сенсационная» история о том, что Сунила признали основным подозреваемым. Затем на сайте появился еще один пост, который был озаглавлен «"Реддит" прав». В результате многие пользователи искренне поверили в то, что террористом оказался пропавший студент. Спустя несколько часов были названы имена настоящих преступников и поиски официально прекратились. Однако незадолго до этого в комментарии к новости, где всех призывали искать подавшегося в бега Сунила, посыпались гневные сообщения от анонимных пользователей. Через несколько дней владельцы «Реддита» опубликовали опровержение, однако было уже поздно.

Обеспечивая каждого человека рупором, мы формируем общество крикливых и эгоцентричных личностей. Если одновременно говорит множество людей, это еще не значит, что они скажут что-то важное.

В мире, где каждый считает себя лидером и каждый пытается найти «последователей», остались ли еще те, кто просто слушает?

Сама концепция знаменитости изменилась, и не сказать, что к лучшему. Обыкновенные люди, которые раньше были никем, становятся суперпопулярными, порой без собственного ведома и желания. Благодаря «Твиттеру» гораздо легче выразить свое почтение знаменитостям, но легче и нагрубить им.

Большинство людей обязательно остановятся, чтобы посмотреть на драку. Это инстинкт, заложенный в человеческой природе. Поэтому, когда один человек пытается растоптать другого в Интернете, взаимные уколы могут начать нарастать, как снежный ком. Это будут уколы ради уколов — и ничего больше.

Как жить в этой медиасреде? Кому доверять? Как получать достоверную информацию в кратчайшие сроки?

Некоторым сайтам, поддерживающим идею анонимности пользователей, трудно принять концепцию использования подлинной личности в Интернете. Тем не менее каждый новичок, общаясь с кем-то в подобных местах (особенно если он получает от анонима оскорбительные сообщения), должен для начала убедиться, что имеет дело с живым человеком, а уж потом действовать по ситуации. Анонимный пользователь эфемерен, он может в любой момент уйти в тень или даже удалить аккаунт, если дела пойдут совсем плохо. Анонимы трусливы и ведут себя вызывающе лишь до тех пор, пока их личность не раскрыта. В Интернете их поведение не отличается.

В охоте за свежими новостями лучше всего изучить несколько источников в «Твиттере», сформировать свое собственное представление об истории и уж потом делать какие-то выводы. Скорость получения информации не гарантирует ее качества. Не стоит верить всем твитам подряд.

В конце концов, концепция личностной аутентичности гласит: если не готов высказать человеку неприятные слова в лицо, не нужно делать этого и в Сети.

В то же время не стоит бояться участия в виртуальных словесных баталиях. Ваше мнение не менее ценно, чем мнение любого другого человека. А для друзей — даже более. Взаимодействие интернет-технологий и СМИ, падение традиционных барьеров в общении между людьми и изменения на медиасцене подарили нам возможность участвовать в дискуссиях невиданными доселе способами.

Во время освещения выборов 2010 года телезрители присылали мне сообщения со своими мыслями. Я, как и всякий честный модератор, отбирала для дискуссии самые лучшие. Ваше сообщение могло быть среди них.

В тот год команда «Фейсбука» и «Эй-Би-Си» так и не получила «Эмми». Эта честь выпала Андерсону Куперу, который вел репортаж с Гаити, где еще недавно свирепствовал ураган. Несмотря на окружавший его жуткий пейзаж, Купер в своей серой футболке выглядел безупречно. У нас не было ни единого шанса. Но все к лучшему.

Технологии и поп-культура

«Выборы-2010» были не первым совместным предприятием «Эй-Би-Си ньюс» и «Фейсбука». Еще в 2009 году мы вместе освещали ход «Юго-западного интерактивного фестиваля» в Остине, в штате Техас. Мы только что вырвались с четырехчасового «девелопер-гаража»[1], когда к нам подошел рекламный агент тощего лохматого британца по имени Рассел Брэнд и попросил взять интервью у его клиента. Никто из нас даже не слышал о таком парне, но, поскольку тот снялся в фильме «В пролете», на интервью я все же согласилась.

---

[1] «Девелопер-гараж» (англ. developer garage) — открытая конференция, на которой люди общаются на профессиональные темы, делятся личным опытом и повышают уровень квалификации.

Процесс быстро вышел из-под контроля.

Не успела я упомянуть «Фейсбук», как он тут же предложил создать альтернативную социальную сеть под названием «Х...йбук». Трудно сказать, что он имел в виду: то ли он хотел организовать сайт, посвященный членам как таковым, то ли единственной звездой должен был стать именно его половой орган. Думаю, можно не говорить, что интервью закончилось очень быстро.

Я решила не публиковать это предложение на «Фейсбуке». И все же мне нравилось брать интервью. Даже без связи с телевизионной сетью я по-прежнему оставалась действующим корреспондентом. И все благодаря Интернету.

Технологические революции всегда порождают новые виды публичности. Пока Томас Эдисон не изобрел первую кинокамеру, у нас не было кинозвезд. Технологический прогресс всегда влиял на то, что люди читают, смотрят и слушают. А поп-культура больше, чем что-либо другое, определяется технологиями и Интернетом.

В ранние годы «Фейсбука» мне доверили выполнить одно очень важное задание по потребительскому маркетингу. Нужно было отследить, в каком ключе нашу компанию упоминают в кино, на телевидении и в печатных изданиях. Я честно выполнила задание и пришла к выводу, что мы могли бы сэкономить сотни миллионов долларов на рекламных кампаниях. Тем не менее большинство предложений о сотрудничестве мы отклонили.

Поначалу больше всего наш бренд хотели использовать криминальные сериалы. «Фейсбук» бы ассоциировался там с кровавыми убийствами и маньяками-преследователями. Какую бы прибыль ни сулил этот ход, упоминание бренда в подобном контексте было недопустимо, поэтому мы отвергли все подобные предложения. Пришлось сериалам переключиться на сайты-подражатели, такие как «Майфейс» и «Фейстер».

Но мы сказали «да» множеству блестящих возможностей и не успели оглянуться, как «Фейсбук» занял место в центре поп-культуры. Вот тогда нам и начали звонить знаменитости.

В середине 2000-х годов мы даже не подозревали, что однажды «Фейсбук» станет самой влиятельной социальной сетью в мире. Мы уже опередили «Френдстер», но все еще не могли догнать «МайСпейс», который активно привлекал к сотрудничеству известных людей. Детей того времени еще называли «поколением "МайСпейс"».

Итак, мы с моими коллегами Дэйвом Морином, который теперь стал генеральным директором компании «Пас», и Крисом Паном составили замечательную и весьма подходящую команду для привлечения знаменитостей на «Фейсбук». Мы решили проповедовать создание сообщества знаменитостей и посвящали своей миссии все свободное время. Однажды вечером я вдруг поняла, что нахожусь в доме Эштона Катчера и пытаюсь объяснить ему принцип работы одного из наших приложений (он до сих пор мне не совсем понятен). А затем я вдруг очутилась в подвале здания, где проходил концерт Бритни Спирс, рассматривая линейку костюмов, которые можно было продать через сайт в благотворительных целях.

В «Фейсбуке» велись горячие споры о том, стоит ли фокусироваться на знаменитостях или не стоит. Некоторые мои коллеги считали, что мы лишь напрасно потратим время. Другие понимали, что знаменитости оказывают на общество колоссальное культурное влияние и сбрасывать их со счетов ни в коем случае нельзя. Третьи говорили, что Эштон Катчер — душка и его стоит пригласить на экскурсию в офис «Фейсбука», однако зарегистрируется он на сайте или нет, их не слишком волновало.

Естественно, мы хотели изменить мир. Однако, помимо этого, мы по-прежнему управляли компанией, а значит, помощь знаменитостей могла предоставить нам ценные рекламные и маркетинговые возможности.

Мы медленно подбирались к своей цели. В 2009 году случилось событие, заставившее нас испытать восхищение и зависть. Эштон Катчер и «Си-Эн-Эн» публично поспорили, кто первым наберет миллион подписчиков в «Твиттере» — новой конкурирующей с нами социальной сети. После этого события дела «Твиттера» резко пошли в гору. С тех пор никто больше не сомневался в нашей маленькой команде. Мы получили добро на привлечение знаменитостей.

Несмотря на то что на телевидении Эштон Катчер играл роль туповатого паренька, в отношении социальных сетей он проявил почти провидческую проницательность. Еще тогда он осознал, насколько социальные сети окажутся влиятельнее телевидения (ну, или могут оказаться). В 2009 году Катчер сказал, будто он поразился тому факту, что один-единственный человек в «Твиттере» может переплюнуть целую медиакомпанию, а потом добавил, что если он победит «Си-Эн-Эн», то обязательно позвонит Теду Тернеру[1].

В итоге Эштон победил не только Тернера. На сегодняшний день в «Твиттере» у него насчитывается более четырнадцати миллионов подписчиков. Столь широкий радиус распространения информации исторически беспрецедентен. Телевизионный актер получил впечатляющую платформу и мгновенный доступ к большему количеству людей, чем любая газета до изобретения Интернета.

Когда Эштон Катчер показал другим пример, в офис «Фейсбука» стали стекаться десятки знаменитостей. Обычно по пятам за ними следовали их нервные агенты. «Фейсбук» превратился в настолько популярное место, что однажды Канье Уэст запрыгнул на стол в нашей столовой, чтобы исполнить песню из своего репертуара. Позже мы опубликовали фото Канье перед одним из наших конференц-залов, который мы ласково переименовали в «По-

---

[1] Тед Тернер — медиамагнат, основатель и владелец канала «Си-Эн-Эн».

зволю вам закончить» после того, как этими словами Канье прервал благодарственную речь Тейлор Свифт на вручении премии «Эм-Ти-Ви мьюзик эвордс». Когда в штаб «Фейсбука» пришел ведущий шоу «Субботним вечером в прямом эфире» Энди Сэмберг, он оделся так, как одевается Марк, чем привел в замешательство нескольких инженеров. А однажды я уже собралась выгнать из-за своего стола неизвестного парня, когда вдруг поняла, что передо мной Кит Урбан. И мне пришлось попросить Кита Урбана найти себе другое место.

Все знаменитости, которые приходили к нам в офис и хотели воспользоваться возможностями нашей платформы, понимали, что социальные сети коренным образом изменили поп-культуру. Образ ухоженной, всегда одетой с иголочки звезды перестал быть актуальным. Люди теперь ожидают присутствия знаменитостей в Сети и хотят общаться с ними на равных.

Конечно, фан-клубы существовали всегда. Но социальные сети — это совершенно другой уровень.

Более того, само определение «контента» сильно изменилось. Так же как «новости» превратились из обзоров, звучащих из уст Уолтера Кронкайта[1], в заметки, которыми с вами могут делиться друзья, современный «контент» перестал производиться профессионально и теперь формируется из люби-

---

[1] Уолтер Кронкайт — американский журналист и телеведущий.

тельских пятисекундных клипов, снятых на смартфон, или мыслей, высказанных между делом в «Твиттере».

Естественно, далеко не каждый человек со смартфоном может считаться медиаперсоной, новым Рупертом Мердоком с цифровым устройством. Однако факт остается фактом: жизнь усложняется. Сфера социального контента очень важна, но по-прежнему процветают киностудии и телестудии, формирующие телевизионный контент. Вместо того чтобы замещать традиционные медиаплатформы, Интернет встраивается в них, предоставляя нам разрешать возникающие при этом трудности и задачи. Контент-продюсерам и знаменитостям приходится адаптироваться. Хотя бы потому, что большинство людей уже сделало это.

Когда я училась в школе Хораса Манна, меня считали немного чокнутой. Сегодня это реально круто. Подростки со всего мира столь же мечтают походить на Стива Джобса, сколь на Майкла Джордана. И это замечательно. Одна мама, как говорят в Интернете, назвала своего сына Хештег, израильская пара решила дать дочери имя Лайк, а египетская пара назвала новорожденного Фейсбуком.

Сюжеты самых популярных фильмов и телевизионных шоу сегодня крутятся вокруг компьютерных технологий и людей, которые ими пользуются. Практически в каждом телепроекте, начиная с «Теории Большого взрыва» и «Социальной сети» и заканчивая «Бассейном с акулами»[1], присутствует технологический элемент. Плюс ко всему во время просмотра телесериала, коммерческого и даже вирусного видео в Интернете вы наверняка увидите хештег, ссылку на «Фейсбук» или логотип «Шазам»[2].

Поп-звезды — лучшие инвесторы. По последним данным, в список венчурных капиталистов[3] вошли, помимо Эштона Катчера, Леди Гага, Джей Зи, Джастин Бибер и Джастин Тимберлейк, Бритни Спирс и Ким Кардашьян. Сегодня нет ничего удивительного в том, чтобы, придя на технологическое мероприятие, например на «Y комбинатор демо-день» (где компании-стартапы впервые рассказывают о своей деятельности на публике), увидеть Эштона, Эм Си Хаммера и уилл.ай.эма в составе экспертной группы или даже среди аудитории. Офис «Твиттера» чуть ли не каждый день посещают знаменитости, желающие попробовать кусочек бекона. А перед штаб-квартирой «Гугла» эти же знаменитости играют в пляжный волейбол.

Технологии и есть новая форма поп-культуры. Гик — новая рок-звезда. И компьютерное сообще-

---

[1] «Бассейн с акулами» (англ. Shark Tank) — американское реалити-шоу, в ходе которого предприниматели пытаются заслужить симпатии ведущих инвесторов.

[2] «Шазам» (англ. Shazam) — коммерческий кросс-платформенный проект, осуществляющий поиск информации о песнях.

[3] Венчурный капиталист — лицо, инвестирующее деньги в новое предприятие.

ство будет поддерживать моду на эту поп-культуру всегда.

Недавно я участвовала в небольшом круглом столе, где у нас завязалась дискуссия со старшим советником Белого дома Валери Джаррет. Мы говорили о том, как лучше заинтересовать девочек изучением программирования. В Кремниевой долине работают в основном мужчины. Компьютерное сообщество остро страдает от недостатка женщин. Мужская часть конференции предложила сделать программирование обязательным предметом в школе. Однако я с этим не согласилась. На мой взгляд, было бы куда разумнее заинтересовать девочек популяризацией программирования в поп-культуре и СМИ.

Это вовсе не значит, что девочки хотят заниматься только тем, что круто или сексуально. Или что женщина, работающая в сфере компьютерных технологий, купится на парочку сверкающих «Макбуков». (Хотя, если уж решишь сверкнуть «Макбуком», ради бога, сверкай на приличном расстоянии.) Это означает, что и компьютерные технологии, и индустрия развлечений способны выстроить позитивную, технически ориентированную модель поведения для девочек. Покажите, что программирование — это круто, продемонстрируйте, как оно меняет жизни людей, и дети увлекутся им.

Именно поэтому, когда компания «Эм-Ти-Ви» решила снять «Дневник "Фейсбука"» — фильм о закулисной жизни компании, — я настояла на том, чтобы речь в картине шла не только о компьютерных инженерах, но и о людях из внешнего мира — о тех, чью жизнь «Фейсбук» изменил к лучшему. Мне хотелось, чтобы они встретились с программистами перед объективами телекамер. Освещая человеческую и техническую стороны компьютерных технологий, мы смогли показать то ощутимое влияние, которое технологии оказывали и продолжают оказывать на жизни реальных людей. Среди приглашенных был ветеран армии, который, еще будучи на службе, смог посмотреть на новорожденного сына через видеочат. Мужчину познакомили с инженером, разработавшим приложение. Мы показывали людей, усыновивших детей с помощью «Фейсбука». Примеров было много.

Демонстрация реальных достижений стимулирует людей работать усерднее. Как написал Адам Грант в своей книге «Брать и отдавать», когда студентам, работавшим в колл-центре университета, хотя бы десять минут рассказывали о том, как их поддержка помогла профинансировать стипендии конкретных людей, они начинали говорить с выпускниками по телефону на 142 процента дольше, что увеличивало пожертвования, которые делали выпускники, на 171 процент.

Если за работой стоит какая-то история, это очеловечивает ее, придает любому делу ореол значимости и важности. Когда поп-культуре удастся популяризировать деятельность программистов и недооцененных сисадминов (системных администраторов), в сферу технологий придут люди, готовые изменить мир. Среди них будут и женщины.

Контент имеет значение

Каждый год или два «Фейсбук» проводит конференцию медиаразработчиков под названием «F8». Собрание преследует две цели. Во-первых, «Фейсбук» объявляет здесь о новых разработках, а во-вторых, каждый, кто строит свой бизнес на платформе «Фейсбука», может лично познакомиться с командой, трудящейся над его проектом, и услышать о новых технических достижениях из первых рук.

За неделю до конференции 2010 года, проводившейся в Сан-Франциско, извержение вулкана Эйяфьядлайёкюдль в Исландии стало причиной обширного облака пепла, накрывшего практически всю Европу. Пятая часть тех, кто должен был присутствовать на мероприятии, не могли прилететь.

«Фейсбук» приступил к работе. Необходимо было решить эту проблему. Было ясно, что ключевые моменты можно попытаться изложить в видеоконференции, однако мне казалось, что этого недостаточно. Вместо этого я собралась организовать мини-версию онлайн-медиакомпании. Вместе с нашими инженерами мы создали «F8 Лайв» — платформу, на которой одновременно работали три канала, освещавших три различные направления деятельности конференции, включая заседания по основным вопросам и серии интервью с разработчиками. Теперь люди, которые оказались отрезаны от мира извержением вулкана, могли чувствовать себя так, словно присутствовали на конференции в реальности. Кроме того, мы решили снимать на видео секционные заседания и публиковать в Сети фотографии подававшейся еды.

К концу дня к онлайн-конференции подключилось около ста пятидесяти тысяч пользователей. Учитывая тот факт, что конференция была узконаправленной и затрагивала сугубо технические аспекты, а не долетели до Сан-Франциско вовсе не сто пятьдесят тысяч человек, а гораздо меньше, успех оказался просто фантастическим.

Этот опыт заставил меня задуматься. Мы объединили силу компьютерных технологий и средств массовой информации, заставив их работать в одной упряжке. Однако почему это распространялось лишь на конференции разработчиков? Почему бы не создать круглогодичный проект, нечто вроде собственного телеканала «Фейсбука»?

Как выглядел бы телеканал, созданный на базе «Фейсбука»?

Несколько месяцев спустя, во время очередного хакатона на «Фейсбуке», у меня появилась возможность протестировать свою идею. Вместо «F8 Лайв» почему бы не назвать канал «Фейсбук Лайв»? К нам в офис постоянно стекается множество интересных людей — знаменитостей, руководителей высшего звена и политиков, — не лучше ли использовать эти визиты на благо личного телеканала?

На следующей неделе к нам заглянул президент «Спортс Иллюстрейтед груп», и я взяла у него интервью. Мы говорили о будущем спорта, компьютерных технологий и СМИ. Беседа получилась интересной, и мне захотелось большего.

К сожалению, для этого проекта нам не хватало ресурсов. Тем не менее я быстренько подыскала какую-то каморку, подозрительно напоминавшую подсобное помещение, повесила на дверь знак «Фейсбук Лайв» и приступила к организации интервью.

Следующие месяцы выдались необыкновенно приятными. Несмотря на то что «Фейсбук Лайв» был побочным проектом и большую часть рабочего времени я трудилась на ниве потребительского маркетинга (а точнее, руководила маркетинговой командой), предприятие оказалось довольно успешным.

Америка Феррера пришла прорекламировать свой новый независимый кинопроект.

А затем в один прекрасный день Глен Миллер, менеджер Кэти Перри, обратился к нам с предложением провести интервью с Кэти на «Фейсбук Лайв» в рамках продвижения ее нового концертного тура. Им хотелось, чтобы начало тура стало ярким и запоминающимся. В январе 2011 года Кэти появилась у нас в бледно-голубом кружевном платье и на высоченных каблуках, чтобы отправиться на экскурсию по офису, попробовать блюда «Среды начос» и, конечно же, выступить на онлайн-конференции канала «Фейсбук Лайв».

Наш диалог вышел очень позитивным. Кэти ответила на множество вопросов фанатов, приходивших на мой ноутбук в процессе интервью, и объявила о подготовке североамериканского тура, который должен был стать частью мирового турне 2011 года под названием «Калифорнийские мечты». Билеты на запланированные концерты были распроданы за считаные минуты, поэтому интервью для «Фейсбук Лайв» широко освещалось в прессе.

Теперь «Фейсбук Лайв» стал официальным каналом, и пути к отступлению были отрезаны. Майк Тайсон показал себя настоящим джентльменом, питающим огромную любовь к своим чудесным голубям. Пи-Ви Герман привел толпу в неописуемый восторг. Члены группы «Линкин Парк» явились на встречу в костюмах с логотипом «Фейсбука». Канье Уэст спел свой новый сингл и похвастался бриллиантовым зубом. Однажды нас посетил губернатор Техаса и кандидат в президенты Рик Перри, а следом за ним — Конан О'Брайен.

Снуп Догг также собирался дать «Фейсбук Лайв» интервью, однако в итоге по неясным причинам проспал все отведенное ему время. Позже он опубликовал в Интернете видеоролик, в котором обратился ко мне: «Рэндз-зи, когда я вернусь на Залив, мы с тобой устроим отрыв». Мне пришлось ответить, что однажды такой день обязательно настанет.

События завертелись с сумасшедшей скоростью. Я прошла долгий путь и была уже очень далеко от Доббс Ферри. Однако я понимала, что надо идти еще дальше.

Благодаря работе над «Фейсбук Лайв» я попала на красную ковровую дорожку «Золотого глобуса» в качестве официального корреспондента. Перед началом мероприятия я проштудировала вопросы, которые предлагали задать участники «Фейсбука». Как всегда, среди них оказалось несколько очень интересных. Когда мимо меня проходил Пол Маккартни, я не стала спрашивать его об одежде, а просто крикнула: «Пол! А ты играешь в "The Beatles: Rock Band"[1]? Каков твой рекорд?» Он рассмеялся и сказал, что это самый необычный вопрос из всех, что ему задали в тот вечер.

Джеймса Кэмерона я попросила объяснить технические особенности камер, которые использовались при съемках «Аватара». Глаза Кэмерона загорелись. К этому интервью я оказалась подготовлена на все сто процентов. Еще бы — весь предыдущий день я репетировала, разговаривая на медиатренинге с фальшивым «Джеймсом Кэмероном», которого изображал гендиректор «Клэрити Медиа Груп» Билл Макгоуэн.

Затем пришел и мой черед. По счастливому стечению обстоятельств я оказалась на красной ковровой дорожке рядом с продюсером фильма

---

[1] «The Beatles: Rock Band» — популярная музыкальная игра для игровых консолей.

«Социальная сеть», который вышел на экраны годом ранее, Даной Брунетти. Я уже подумывала, как забавно было бы сфотографироваться с экранным альтер эго моего брата, когда заветный шанс сам прыгнул ко мне в руки. Актеры фильма подошли к нам и попросили сделать совместное фото!

Все это произошло на самом деле. И финальной точкой в истории стал визит президента Обамы, который захотел использовать «Фейсбук Лайв», чтобы обратиться ко всей Америке.

Моя крохотная, базирующаяся в подсобке медиакомпания помогла мне выучить несколько важных жизненных уроков. И самым главным из них стало умение грамотно использовать социальные сети. В будущем подобные навыки станут первостепенны для любого журналиста и телеведущего. Я видела, как стремительно журналистика впитывает основы онлайн-этикета. В мире, где обыкновенные люди имеют возможность ответить на любой репортаж, представители СМИ вынуждены учиться слушать. Сегодня быть обаятельным и зачитывать текст с телесуфлера уже недостаточно. В новом, виртуальном мире телесуфлер может и заговорить сам. Медиакорреспонденту будущего придется обладать совершенно особым набором качеств. Он будет одновременно и журналистом, и менеджером сообществ, и модератором, и даже частью аудитории.

Достичь этого непросто. Все, чем занимается телеиндустрия в современном мире, придется забыть. Зрительская аудитория выйдет за пределы съемочной площадки, и ведущим придется научиться обращаться к социальным сетям. Медиакомпании начнут искать талантливых людей, которые смогут справиться с поставленной задачей.

Люди, желающие узнать последние новости, больше не хотят смотреть на ухоженного диктора, зачитывающего заголовки с листа. Они хотят вести диалог. А для этого необходим ведущий, который имеет доступ ко всему Интернету. Человек, который в любой момент готов выйти из-под объективов видеокамер и присоединиться к своим последователям. Некто, имеющий собственную точку зрения и возвышающийся над толпой.

С появлением социальных сетей некоторые люди практически полностью отрешились от телевидения. Чтобы исправить эту ситуацию, ведущему будущего придется выучить азы видеомонтажа и ознакомиться с производственным процессом. Бюджеты сокращаются, а временные рамки становятся все уже. Поддержка надежной команды поможет такому ведущему все успевать в десятки раз быстрее.

Интернет способствовал появлению совершенно нового контента среднего звена. И создали его те, кто умеет говорить на узкие темы. Есть люди, которые готовы в течение пяти минут рассуждать о предмете своей страсти, однако больше им сказать нечего. Если раньше были профессиональные ведущие и все остальные, то сегодня появилась еще и средняя прослойка «полупрофессиональных ведущих», если можно так сказать. Это тысячи людей, которые способны высказать ценное мнение по одной конкретной теме, но не по каждой теме. Такие микропрофессионалы создают целые веб-сайты, такие, например, как «Хаффингтон Пост». Этих людей часто приглашают в качестве «специальных гостей» на ваши любимые онлайн-платформы. Целые медиакомпании строятся благодаря людям, которые способны высказать интересную или провокационную мысль и мгновенно уйти в тень после этого.

Бессчетное количество предприятий Кремниевой долины мечтают заменить телевидение. Ряд третьесортных приложений позволяет транслировать телевизионные передачи в Сети, однако качество таких трансляций оставляет желать лучшего. Кремниевой долине нет смысла заменять телевидение — напротив, его стоит подхватить и улучшить.

Впереди новый удивительный мир, в котором каждый человек сможет почувствовать себя целой медиакомпанией, создателем уникального, интересного контента. «Старбакс», например, желая достучаться до потенциального покупателя, потратил миллионы долларов на рекламу в утренних телешоу вроде «Морнинг Джо». Однако обратиться к людям через «Фейсбук», где сконцентрировано бессчетное количество почитателей «Старбакса», было бы куда эффективнее. Любое сообщение в Интернете мгновенно доходит до адресата. Даже купив все рекламное время во всех утренних телешоу вместе взятых, не удалось бы добиться такого эффекта.

Онлайн-платформы дарят компаниям возможность получать прямой доступ к конкретным, демографически опознаваемым людям, которые заявляют о своих предпочтениях на «Фейсбуке», в «Твиттере» и в других социальных сетях. Непонятно, почему тот же самый «Старбакс», или «Джей-Си Пенни», или «Мэйсис», или многие другие компании не хотят организовать свое собственное утреннее шоу в Интернете.

На заре телевидения бренды активно спонсировали все передачи, выделяя на это колоссальные средства. «Мыльные оперы» стали, в общем-то, побочным продуктом скрытой рекламы. Теперь же, если бренд хочет и готов создавать оригинальный контент, он может извлечь невероятную пользу из каждого своего доллара, обратившись непосредственно к своей аудитории.

Социальные сети предоставляют компаниям возможность получить необходимую информацию о потенциальных потребителях. И это совершенно естественно. Почему бы не использовать эту информацию для того, чтобы улучшить свой контент? Аудитория будет только счастлива. Станут ли люди смотреть передачу «Утренний кофе со “Старбаксом”»? Почему бы и нет? Особенно если шоу окажется забавным, информативным, но не утомительным, и будет выполнять те же самые функции, что и остальные утренние телепрограммы.

Медиакомпанией может стать не только бренд. Профессиональные артисты имеют для этого все шансы. Работать собственным пресс-секретарем может каждый. Правда, знаменитостям надо быть одновременно собственными пресс-секретарями, промоутерами, директорами и агентами по продаже билетов. Недавно комедийный актер Луис Си Кей произвел настоящий фурор, разорвав традиционную цепочку дистрибьюторов. Луис решил самостоятельно продавать билеты на свои выступления и даже взялся за распространение собственного материала в Сети.

Естественно, звезды могут обращаться к Интернету и для финансирования своих проектов. Так, например, Зак Брафф недавно собрал в Сети деньги на фильм. А сериал «Вероника Марс» и вовсе спонсировался на «Кикстартере».

Современные продюсеры вполне могут быть обыкновенными людьми. А люди хотят, чтобы их услышали.

Когда у меня появился шанс создать собственную медиакомпанию, я решила опираться на опыт, полученный во время работы над «Фейсбук Лайв», и попытаться отыскать новый способ взаимодействия СМИ и поп-культуры. Успех моего предприятия обеспечили извержение вулкана в Исландии, маленькая подсобка и мечта.

Телевидение по-прежнему важно

После ухода из «Фейсбука» первым моим проектом стала передача о людях Кремниевой долины. Я понимала, что, несмотря на небывалый подъем интернет-СМИ, телевидение не утратило своего влияния и по-прежнему остается главной движущей силой поп-культуры. Предполагалось, что моя медиакомпания будет базироваться на интернет-платформе. Однако нельзя же было просто загрузить несколько видеороликов в Интернет и ждать у моря погоды! Если бы я так поступила, передача была бы обречена. Никто не отменял необходимости выигрывать «Эмми», расширять аудиторию и, конечно же, работать с телевидением.

Пускай различия между Интернетом и телевидением стали почти незаметны, последнее по-прежнему играет ключевую роль в формировании новостей. Именно здесь курируется наиболее ценный контент и формируется культура. В 2013 году «Центр гуманитарных технологий» опубликовал отчет под названием «Рейтинг новостных СМИ». В нем говорилось, что на вопрос, откуда они узнали «вчерашние» новости, более 50% американцев ответили, что смотрели телевизор, и лишь 39% опрошенных сказали, что узнали новости из Интернета или через мобильные приложения.

Я понимаю, что вы, должно быть, ждете от меня призыва из серии: «Забудьте Голливуд! На вас несется век цифровых технологий». Однако я чувствую, что это не так. Мне кажется, Нью-Йорк, Лос-Анджелес и Кремниевая долина вполне могут мирно уживаться друг с другом — и вовсе не обязательно бороться за один-единственный кусок пирога. Вокруг полно еды. Даже «Ютьюб» не забывает давать пресс-релизы, если шоу, стартовавшее на их платформе, пробилось на телевидение. Очевидно, что телевидение нельзя сбрасывать со счетов. Если раньше оно служило только источником информации, то сегодня приняло на себя роль куратора.

В обществе господствует мнение, что все по-настоящему важные вещи освещаются на телевидении. Возможно, однажды «Нетфликс» изменит все, однако пока что никаких кардинальных сдвигов не произошло. «Карточный домик» — сериал, созданный специально для видеосервиса «Нетфликс», в жанре политической драмы, где главную роль сыграл Кевин Спейси, — стоил 100 миллионов долларов и стал настоящей «бомбой» сетевого премиум-контента. И все-таки моей компании шоу на телевидении могло бы дать возможность получить одобрение наиболее влиятельных организаций, заявить о своем существовании и покончить со всеми слухами.

Тот факт, что я работала в «Фейсбуке», никак мне не помог. В Голливуде меня воспринимали куда менее серьезно, чем хотелось бы, считая «одной из этих интернет-персон». А кто-то даже заявил мне однажды: «А вы, ребята, там, на юге, занимаетесь прикольными вещами», хотя Сан-Франциско, как я всегда была уверена, севернее Лос-Анджелеса. Договариваться о встречах оказалось нелегко, однако я твердо вознамерилась доказать, что во мне ошибались. Я всегда мечтала продюсировать телешоу, хотя шансы на воплощение мечты в реальность и были крайне невелики.

Кто же знал, что помощь придет со стороны реалити-телевидения?

В конце 2011 года я узнала, что телекомпания «Браво» проводит кастинг для телевизионного реалити-шоу о Кремниевой долине. Моя коллега Эрин Канали тщательно проверила слухи и подтвердила информацию. Тогда мы попытались узнать больше. В «Браво» ко мне отнеслись с большим энтузиазмом и даже предложили мне роль. Немного подумав, я, скрепя сердце, отказалась. Возможно, я и уступила «Эмми» Андерсону Куперу, но стать звездой реалити-шоу была пока не готова.

Тогда от «Браво» поступило новое предложение: «Нам нужен человек из Кремниевой долины на роль исполнительного продюсера, не хотите ли попробовать свои силы?» Чем больше я думала об этом, тем сильнее склонялась к мысли о том, что шоу откроет передо мной двери в Голливуд. В конце концов, такое случается не каждый день. Реалити-шоу не падают с неба просто так.

Несколько месяцев спустя канал «Браво» объявил о подготовке программы «Стартапы: Кремниевая долина». Шоу освещало деятельность шести бизнесменов, показывало особенности компьютерной культуры, а еще в качестве исполнительного продюсера в нем участвовала я. Вскоре мы приступили к съемкам. В лучших традициях стартапа мне пришлось учиться на ходу.

По законам жанра, в передаче разыгрывалась глубокая межличностная драма. Юмор, сумасшествие, деньги, любовь — все это переплеталось между собой и составляло безумный мир под названием Кремниевая долина.

Перед премьерой ходило много слухов. Это был год выхода «Фейсбука» на биржу. Бизнес-инкубаторы[1] и бизнес-акселераторы[2] появлялись, как грибы после дождя. Кругом звучали разговоры о «мыльных пузырях»[3] и «сериях А-кризисов»[4]. Дух времени и все растущее восхищение технологическим сообществом располагали к появлению этого забавного развлекательного реалити-шоу.

Однако далеко не все слухи были позитивными. Многие из них сочились неприкрытой агрессией.

После работы в «Фейсбуке» мое решение поработать в «старых медиа», то есть на телевидении, было многими воспринято как предательство «новых медиа». Некоторые блогеры попытались втоптать меня в грязь за то, что реалити-шоу изобража-

---

[1] Бизнес-инкубатор — организация, занимающаяся поддержкой стартап-проектов. Часто спонсируется государством.

[2] Бизнес-акселератор — модель поддержки бизнеса на ранней стадии, которая предполагает интенсивное развитие проекта в кратчайшие сроки. Проекту оказывается финансовая, инфраструктурная, экспертная и информационная поддержка. От бизнес-инкубатора отличается тем, что является частным предприятием и не имеет государственной поддержки.

[3] «Мыльные пузыри» — потенциально слабые проекты, в которые спонсоры напрасно вкладывают финансовые средства.

[4] «Серия А-кризисов» — выходя на рынок, стартап-проект переживает серию финансовых кризисов, пройдя через которые, он становится успешным участником рынка.

ло жителей Кремниевой долины веселыми людьми, которые приятно проводят время. По их мнению, я должна была показать суровую реальность. То есть, как я понимаю, главным героем следовало сделать парня, который по десять часов в день работает за ноутбуком в офисе, а затем встает, выходит на улицу, садится в сверкающий автобус и уносится вдаль, пуская слюну на свою толстовку.

Мне кажется, сам факт того, что шоу показывали на телеканале «Браво», уже намекал, что это никак не может быть серьезный документальный фильм в стиле «Си-Эн-Би-Си». Наверное, эти блогеры раскритиковали бы и «Настоящих домохозяек Нью-Джерси» за то, что они недостаточно правдоподобно драят плитку в ванной и готовят жаркое для своих мужей.

Однако, какими бы ни были слухи — позитивными, негативными, смешными или даже полными ненависти, — все вокруг говорили о нас. В ночь перед президентскими выборами 2012 года шоу стало одной из горячих тем в «Твиттере». Я была на седьмом небе.

К несчастью, мы не видели связи между слухами и нашей позицией в рейтингах. Поначалу шоу находилось в верхних строчках, но затем опустилось в самый низ и уже не поднялось обратно.

Мне кажется, наша проблема заключалась в том, что шоу оказалось чересчур технологичным для широкой публики и чересчур прозаичным для технических специалистов. Рисковые инвесторы всегда советуют стартапам начинать с малого: выделить основного потребителя и работать на него, а уж потом расширять поле деятельности. Думаю, нам следовало поступить точно так же: выбрать основную аудиторию и трудиться над удовлетворением ее запросов. Оглядываясь назад, я понимаю, что лучше было бы либо сделать шоу для людей, которые мало разбираются в компьютерных технологиях, и использовать Кремниевую долину в качестве декораций, либо уделить внимание процессу организации стартапов, показать в динамике поиск инвесторов, активную конкуренцию, привилегии и все остальное. Мы же заняли промежуточную позицию. Однако ориентироваться сразу на обе аудитории, так же как и делать два дела одновременно, — неблагодарное занятие. В результате полностью шоу не удовлетворило никого.

Но, какими бы ни были итоговые цифры, я знаю одно: шоу «Стартапы: Кремниевая долина» оказало свое влияние на мир. Мы изменили жизни шести предпринимателей. В Голливуде заговорили о возможности создания других передач о Кремниевой долине. Тысячи людей сказали мне лично, что после нашего реалити-шоу они решили приступить к изучению компьютерных технологий, вернулись в университет, чтобы постичь предпринимательское дело, занялись программированием или обратились к помощи бизнес-инкубатора.

В самом начале я заявила, что наш проект сможет считаться успешным, если изменит чью-то жизнь. И пусть даже это будет одна-единственная американка, решившая построить карьеру в сфере компьютерных технологий, я все равно буду считать это победой. Так и случилось.

Более того, я считала это шоу и своей личной победой. Во-первых, мне удалось заработать себе репутацию среди телевизионщиков, а во-вторых, я смогла назначить несколько важных встреч в Голливуде. Организовать реалити-шоу сериального формата — большое дело. Особенно если ты начинающий продюсер.

Я сделала нечто большое, громкое и важное. И это была моя заслуга.

Помню, как мой коллега Брэдли переслал мне обзор, в котором шоу «Кремниевая долина» было оценено в ноль звезд из пяти. Вместо того чтобы расстраиваться или переживать, я вдруг начала хохотать и прыгать от радости. К шоу моя реакция не имела отношения. Просто впервые в жизни в сообщении обо мне написали не «Рэнди Цукерберг, сестра Марка Цукерберга», а «Рэнди Цукерберг, телевизионный продюсер». Я оценила эту новость в шесть звезд из пяти.

Организовывая «Цукерберг Медиа», я предполагала, что СМИ и компьютерные технологии будут работать в связке. Сан-Франциско и Лос-Анджелесу давно пора объединяться, а не воевать. Мир телевидения и мир Интернета имеют схожие цели: оба развлекают пользователей, стремятся завоевать их внимание и расположение.

Но в то же время эти два мира имеют и кардинальные различия. И я с огромным энтузиазмом пытаюсь разобраться, как навести мосты между ними.

Наводить мосты тяжело. Мы с моей командой сняли тысячи часов видео, завоевали внимание сотен миллионов пользователей «Фейсбука», «Твиттера» и «Ютьюба» и успели поработать с десятками талантливых людей, однако до сих пор так и не смогли обеспечить себе репутацию. И все же мы на пути.

Для всякого стартапа существует один и тот же алгоритм действий: вы запускаете бета-версию своего продукта, с нетерпением ждете отклика, переделываете то, что кажется неправильным, и в конце концов получаете нечто восхитительное. Или оказываетесь в пролете. Работа в «Фейсбуке» научила меня действовать быстро и без колебаний ломать стереотипы. Иногда стремительный прорыв оказывается лучше совершенства в исполнении. Мы организовали шоу быстро. Мы работали до потери сознания. Мы многому научились в процессе. И мы учтем этот опыт в следующий раз.

Возможно, наш следующий проект будет запущен в Сети, возможно, на телевидении, хотя гораздо вероятнее — где-то посередине. Как бы то ни было, я не собираюсь останавливаться, особенно сейчас. Мы идем в авангарде изменения двух глобальных индустрий. И это только начало.

Советы для достижения технологического баланса в общении

Правда лучше скорости

В современном мире информация ценится превыше всего. Если человеку удается узнать свежую, неизвестную ранее новость, на качество этой «новости» никто не обращает внимания. Именно поэтому, когда умирает кто-то из знаменитостей, люди первым делом бросаются в Интернет, чтобы побыстрее опубликовать пост. Ценность события перевешивает ценность отношения к человеку. Пользователь не думает о том, что умерший значил для него в жизни. В таком поведении нет ничего хорошего, и порой — как, например, в случае с Бостонскими взрывами, — стремление вырваться вперед может иметь разрушительные последствия для невинных свидетелей. Не пытайтесь сказать что-то быстрее всех, старайтесь говорить правду.

Не будьте негодяем

Если вы ведете себя в Интернете, как негодяй, это не делает вас поборником правды и честности. Это лишь доказывает, что вы негодяй.

Новые навыки нового времени

Раньше на каждую звезду кино, музыки и телевидения работала целая бригада помощников, пресс-секретарей, менеджеров и техников. Теперь все эти роли вы исполняете самостоятельно. Недостаточно просто научиться писать, придется научиться загружать собственный контент в Интернет. Используйте бесплатные образовательные онлайн-программы, чтобы развить новые навыки. Для того чтобы быть востребованным в современном обществе, требуется куда больше умений, чем раньше. Если вы еще не знаете, как пользоваться «Твиттером» или блогами, и не можете загрузить собственные фотографии в «Инстаграм», самое время научиться.

Интернет — движущая сила добра. Она позволяет людям в мгновение ока приходить друг другу на помощь.

Тем не менее нельзя забывать, что, предоставляя доступ к личной информации, вы автоматически выставляете себя на суд народа. Общение — чудесная вещь, плюсы которой перевешивают минусы. Но будьте осторожны — порой люди могут быть крайне жестоки.

Если вы успешный человек, которому есть что сказать, интернет-пользователи начнут к вам прислушиваться. Хотите идти вперед — идите навстречу врагам. Не стоит бояться клавиатурных негодяев. Давайте им отпор. Раньше меня мог задеть даже самый слабый укол, меня тошнило от критических замечаний в чужих постах или негативных твитов. Теперь я учусь им радоваться.

Внимание — это вид валюты. Я часто говорю людям и представителям различных компаний, которые опасаются негативных комментариев, что от ненависти до любви один шаг. Если у человека нашлось время прочитать сообщение и ответить на него, возможно, он хочет лишь быть услышанным. Приложив немного усилий, вы можете превратить этого человека в своего самого преданного сторонника. Но даже если этого не случится, задумайтесь о том, что ненавистники вступили с вами в диалог. Люби, ненавидь, только не забывай обо мне.

Вокруг всегда найдутся пугливые и ревнивые люди, которым не хватает мужества, силы или уверенности в себе, чтобы влиять на мир. Не дайте их страхам и фобиям сбить вас с истинного пути. Это всего лишь слова на экране.

Один из способов достижения технологического баланса — умение отложить в сторону телефон, закрыть ноутбук и отрешиться от виртуального «багажа». Не верьте льстецам. Никогда в жизни вы не станете столь прекрасным человеком, которым вас рисуют в Сети. И никогда не станете столь ужасным. Реальные взаимоотношения могут складываться лишь с теми людьми, которые оказываются рядом всякий раз, когда вы заканчиваете писать сообщение и откладываете гаджет с электронной почтой в сторону.

Часто говорят, что профайл на «Фейсбуке» отражает не реальную личность, а лишь ее лучшую часть. Давайте изменим это. Пускай реальная личность будет прекрасна целиком. Ведите честную жизнь в Сети и за ее пределами. Стремитесь к обретению внутренней гармонии, дружбы, любви, чувства удовлетворения от работы и радости — от участия в общественной жизни. Используйте Интернет для того, чтобы изменить свою жизнь к лучшему.

Технологии позволяют нам изменять мир. Так давайте начнем с себя. Давайте сделаем наши сложные и запутанные виртуальные жизни чуть более простыми. И по-настоящему восхитительными.

Заключение

Через год после того, как меня попросили подыскать место для Эм Си Хаммера на встрече с Обамой, организованной благодаря «Фейсбук Лайв», я оказалась на палубе яхты, готовящейся отплыть из Сан-Франциско в Окленд. Рядом стояли сам Эм Си Хаммер и один из моих инвесторов Джоди Гессоу. В Окленде мы собирались попасть на площадь Джека Лондона, чтобы проверить потенциальные производственные помещения для моего рискованного предприятия — компании «Цукерберг Медиа».

Что может быть лучше, чем приехать в Окленд с местной городской легендой — Эм Си Хаммером? И что может быть лучше путешествия на яхте?

Солнечные лучи играли на волнах, когда мы проплывали под мостом, ведущим из Сан-Франциско в Окленд.

Хаммер повернулся ко мне.

— Рэнди! — воскликнул он. — У меня идея. Нам надо организовать совместную компанию.

— Мне нравится! — ответила я. — И как мы ее назовем?

Оба погрузились в размышления.

Внезапно меня осенило.

— $Z = MC^2$, — крикнула я.

Молчание.

Это было оно. Все на мгновение напряглись. А потом Хаммер рассмеялся.

Когда яхта прибыла в Окленд, я взглянула на оставшийся позади Сан-Франциско и меня пронзило то горькое мучительное чувство, которое испытываешь от осознания того, какой странной может быть жизнь и как быстро она меняется.

Еще недавно я чистила снег вместе с братом и сестрой в закоулках Доббс Ферри. Казалось, буквально секунду назад я играла Пегги в школьной постановке «42-й улицы» и в музыкальном классе «останавливалась, чтобы вдохнуть аромат цветов». Я вспомнила, как в первый раз пела «Зомби Джамбори» в составе группы «Возможности Гарварда». А затем, спустя четыре стремительно промелькнувших года, в последний. Я вспомнила «Голых ковбоев», нью-йоркские бары теплыми летними вечерами и неожиданное сообщение от Брента Т. Я вспомнила билет на самолет в Калифорнию, куда отправилась работать в «Фейсбуке», слезливое прощание с Брентом, за которым последовало еще более слезливое воссоединение, любовную горячку, приглашение на свадьбу по «Аутлуку» и маленького белокурого мальчика по имени Ашер, чьи фотографии заполнили всю мою страницу в «Фейсбуке».

Я достала айфон и начала просматривать снимки Ашера, пытаясь выбрать что-нибудь подходящее для публикации. Ничего стоящего не нашлось, поэтому я принялась снимать виды Сан-Франциско. Потом я все же одернула себя, убрала телефон и повернулась, чтобы задать Хаммеру еще несколько вопросов об Окленде, о его карьере и жизни.

Развлекаться с телефоном не было времени. Это можно было отложить на потом. Малюсенький электронный прибор весом в сто пятьдесят граммов, который я держала в руке, как будто явился сюда прямо из «Звездного Пути». Смартфоны с выходом в Интернет и социальные сети коренным образом изменили схему взаимодействия людей. Некогда серьезные препятствия для общения с друзьями, возлюбленными, семьями, работой, обществом и даже знаменитостями начали исчезать. Технологии упрощают, но одновременно и усложняют жизнь. В нашем распоряжении появляются поражающие воображение коммуникативные устройства, и все же мы забываем, каково это — общаться друг с другом.

Для того чтобы разобраться в происходящем, необходимо понять саму суть компьютерных устройств: они призваны улучшать нашу жизнь, а не ухудшать. Тот, кто остается в Сети самим собой, неизбежно начинает понимать, как использовать компьютерные достижения себе во благо. И еще —

каким должен быть его собственный технологический баланс.

Все мои истории в конце концов возвращаются к Эм Си Хаммеру. Пришло время сделать это в последний раз.

Однажды Хаммер сказал: «Можно либо энергично работать, либо отсиживаться в тени». Не знаю, как насчет вас, но я планирую работать изо всех сил столько, сколько смогу.

У каждого из нас бывают карьерные взлеты и падения. Мы зарабатываем деньги и теряем их. Одерживаем победы и терпим поражения. У нас появляются детские фото, выпускные фото, свадебные фото, а потом... Снова детские фото. Друзья порой разочаровывают, а совершенно незнакомые люди восхищают. Но, может быть, именно это стремление делиться личным, эта уязвимость и человеческое общение делают жизнь столь восхитительно прекрасной?

Легко спрятаться за экраном монитора, за текстовым сообщением, фотографией или электронным письмом. Гораздо тяжелее выйти на свет и начать жить собственной жизнью, быть честным с самим собой и остальными. Компьютерные технологии показали нам новый мир. Однако чтобы сделать этот мир прекрасным и гостеприимным для нас и наших детей, необходимо над ним поработать.

Работай усердно. Играй усердно. Публикуй посты усердно. И твиты тоже. Но главное — живи усердно. Потому что мы слишком настоящие, чтобы отсиживаться в тени.

Благодарности

Ух ты! Вы дочитали до самого конца! Спасибо! К счастью, в моем распоряжении гораздо больше 140 символов, ведь людей, перед которыми я чувствую себя в долгу и которых мне хотелось бы от всего сердца поблагодарить, очень много.

Первое и самое главное спасибо адресовано моей команде в «Харпер Коллинз». Марк Таубер, спасибо тебе за настойчивость и участие. Гидеон Вайль, ты проявил себя как настоящий товарищ и выдающийся редактор. Лиза Шарки, спасибо тебе за креативные идеи, которым я устала вести счет. Маргарет Анастас, благодарю тебя за то, что приняла меня и «Точку» со всей душой и любовью. И еще хотелось бы упомянуть Клаудию Буттэ, Сюзанну Куист и Сюзанну Уикхем. Спасибо за ваш упорный труд, воплотивший мою мечту в физическую, печатную реальность.

Всем читателям электронной газеты и веб-сайта «Точка сложности» я говорю сердечное спасибо. Благодаря вам я каждое утро просыпалась бодрой и энергичной. Без читательской преданности и поддержки эта книга едва ли смогла бы когда-нибудь увидеть свет.

Спасибо всем моим бывшим коллегам по «Фейсбуку» вообще и команде отдела потребительского маркетинга в частности: Алекс Ву, Обри Сабала, Чарльз Порч, Эллиот Шрейдж, Эрин Канали-Фамуларо, Джонатан Эрлих, Ларри Ю, Мэнди Зибарт, Мэтт Бимэн, Мэтт Харнак, Мэтт Хикс, Скип Бронки и Тиш Стенсон — я помню о вас. Отдельная благодарность Брэнди Баркер, Мейнал Балар и Ракель Дисабатино — моим духовным сестрам в отделе маркетинга и коммуникаций.

Спасибо чудесным наставникам, которые встретились на моем пути: Дэну Росенцвейгу, Франсин Хардуэй, Джейсону Голдбергу, Майку Мерфи, Рэю Чемберсу, Шервину Пишвару и Шерил Сэндберг. Я всегда ценила вашу проницательность, честность, лидерские качества и порой удушающую любовь.

Спасибо тебе, Энди Митчелл, за то, что помог мне совершить один из самых значимых прорывов в карьере за всю мою жизнь. Мне нравится формат нашей дружбы, где бы мы ни встречались: во Флориде, в Буэнос-Айресе или в Бруклине.

Спасибо тебе, Эндрю Морс, за то, что становился моим сообщником снова, и снова, и снова. Однажды мы с тобой все-таки получим «Эмми»!

Спасибо Академии: быть номинированной на премию — большая честь. ;-)

Спасибо тебе, Кевин Коллеран, за то, что снял на видео самую первую вечеринку «Фейсбука». Ни одни съемки еще не доставляли мне такого удовольствия. И спасибо всем, кто положительно отнесся к этому ролику, а особенно — Джеффу Ротшильду. Мы снимали с любовью.

Спасибо вам, Эри Стейнберг, Эзра Каллахан, Люк Шепард, Питер Денг, Том Уитноу и все остальные звезды компьютерного инжиниринга, которые помогали создавать наши первые политические проекты. Спасибо Тиму Кендаллу за то, что помогал мне в эфире. Благодарю Адама Коннера, Эндрю Нойеса, Криса Келли, Дэна Роуза, Дэвида Финча, Дениз Триндэйд, Итана Берда, Джулию Поповиц и Мэтта Хикса за поддержку и дружбу. Работать с вами было одно удовольствие.

Благодарю тебя, Дэвид Прагер, мой духовный брат по созданию пародийных музыкальных клипов. Неужели ты никогда не мечтал о том, чтобы твой сотовый был таким же горячим, как я? ;)

Спасибо моей музыкальной группе «Фидбомб» — то есть Крису Пану, Дэвиду Эберсману, Энди Бартону, Бобби Джонсону, Эрику Заморе, Эрику Джиованоле и Шону Чаффину — за то, что помогли сумасшедшей мамаше ощутить себя рок-звездой. Я обожаю выступать с вами на одной сцене и надеюсь, что наше сотрудничество продлится еще долгие годы. А Крис Пан может сколько угодно угрожать уйти и переехать в Лос-Анджелес. Крис Келли, Бобби Джонсон, Крис Кокс и Джеймс Ванг, спасибо вам за «Суть Эванесенс» — это было громко! Крис Пан наверняка обидится, если я не упомяну, что «Фид-

Благодарности

бомб» может выступить на вашей свадьбе, или мероприятии, или конференции... ;)

Спасибо Вуди Ховарду из школы Хораса Манна за роль Пегги Сойер в «42-й улице», которая перевернула мою жизнь. Ты оказал огромное влияние на меня и даже поспособствовал формированию моей онлайн-личности. Тот ник я использовала годами!

Спасибо группе «Возможности Гарварда» за чудесную музыку, ну и, конечно же, за крепкую дружбу. Вы настоящие асы!

Благодарю вас, Йосси Варди и Мишель Бармазал, за невероятную честь исполнить песню в канун Шаббата в Давосе. И огромное спасибо Маттиасу Люфкензу, Диане Эль Азар и Джозетт Ширан за самое первое приглашение в Давос.

Спасибо вам, Мишель Майерс, Элис Вуд и Боб Соерберг из «Конде Наст» и еще Энди Леви и Луи Д´Анджели из «Цирка Дю Солей», за то, что поверили в мои сумасбродные идеи и все сложилось на удивление хорошо.

Лорен Залазник и Эли Лерер из телекомпании «Браво», а также Эван Прэгер, Джесси Игнятович и вся команда «Вертепа разбойников», спасибо вам за то, что устроили начинающему телевизионщику бешеные скачки.

Спасибо всем журналистам, которые любили, ненавидели или шпыняли меня без перерыва все последние годы. Особая благодарность — Каре Суишер, Лиз Ганнес и Оуэну Томасу за то, что с

344

завидной регулярностью они старались довести меня до сердечного приступа.

Огромное спасибо бесчисленному количеству чудесных «виртуальных» женщин, которые помогали и вдохновляли меня во время путешествия: Эбби Росс, Али Пинкус, Ангелине Хаоле, Брит Морин, Кейси Брукс, Дезире Грюбер, Элизабет Уэйл, Фарзане Фарзам, Хасти Кашфиа, Дженнифер Аакер, Дженнифер Лима, Джессике Мелори, Джулии Эллисон, Джулии Поповиц, Каре Голдин, Катерине Барр, Кирстен Грин, Лесли Блоджет, Либби Леффлер, Мариссе Мэйер, Портер Гейл, Рэйчел Скляр, Саре Росс, Саре Кунст, Шире Лазар, Софии Росси, Стефани Агреста, Тине Шарки, Ти Текседор — список можно продолжать бесконечно. Настало наше время, леди!

Спасибо Солейл Мун Фрай за то, что объяснила мне весь процесс книжного производства и всегда была со мной открытой и честной. Я искренне считаю, что между нами есть духовное родство.

Спасибо тебе, Николь Лапин, за две очень важные вещи. За то, что ты приютила меня в Нью-Йорке, подарив возможность работать над этой книгой. И за то, что постоянно заставляла меня бывать на свежем воздухе (до тебя никто об этом не беспокоился). Ты так мне помогла, что я даже не знаю, смогу ли когда-нибудь отплатить тебе за доброту и великодушие.

Отдельное спасибо Эрин Канали за то, что является моей закадычной подругой и сообщницей уже долгие годы. А ведь мы хорошо позажигали, детка, не так ли?

Спасибо Питеру Якобсу, Ами Явор, Заку Нэдлеру, Тиффани Чи и спикерам Управления гражданской авиации за то, что в последние несколько лет мужественно отправляли меня в любые уголки света. Это во время двадцатичетырехчасового путешествия в Новую Зеландию, затем в Оман, а потом в немецкий город Ворбек родилась идея книги «Точка сложности».

Мои особые благодарности — талантливым агентам «Вильям Моррис Индевор» Джею Манделу, Маргарет Рили, Бетани Дик, Майлсу Гидали и Марку Маллету. Жду не дождусь, когда мы займемся совместными проектами.

Спасибо чудесной команде «Джонс Воркс пиар» в целом и лично Стефани Джонс, Эмили Хофстеттер и Кирби Эллисон. #потрясающие #рокзвезды #ищемкоролявсвинарнике

Огромную благодарность хочу выразить другу Дексу Торрику-Бартону — одному из лучших хранителей тайн Кремниевой долины — за постоянную поддержку во время написания этой книги.

Спасибо всем сотрудникам «Цукерберг Медиа» в прошлом, настоящем и будущем. Ашми Патела, Брэдли Лотенбах, Эльвина Бек, Эмма Пае, Эрин Канали-Фамуларо, Холли Леонард, Джефф Пайк, Лиз Вассманн, Мэтт Хикс, Мэтт Миллер, Нэйт Хесс, спасибо! И хочу поблагодарить всех замечательных инвесторов, которые поддержали наше предприятие.

Спасибо тебе, Джефф Пайк, за то, что всегда был рядом. Начиная с семестровых работ по социологии и заканчивая уборкой общежития, во время возни с «Барби» и прочим, когда мы горланили песни на «ти-стейшне», ты поддерживал меня, как только мог.

Еще одна персональная благодарность Брэдли Лотенбаху — моему партнеру со времен дебатов формата «Эй-Би-Си ньюс»/«Фейсбук»! Шесть лет совместной работы пролетели незаметно. Я каждый день думаю о том, как мне повезло с нашим сотрудничеством.

Спасибо самой дружной в мире «городской семье», о которой раньше я могла только мечтать — Крису Келли, Джен Каррико, Греггу Делману, Бекке Шапиро, Ким Лембо, Шари и Джесси Флауэрс, Рэйчел Мастерс, Алексу и Рейне Рампелл, — мы пережили вместе хорошее и плохое, невероятно грандиозное и просто омерзительное. От седеров[1] в мексиканском стиле до тусовок в Джерси, сумасшедших каникул в Вегасе и не менее сумасшедших в Токио, от едва начинающих ходить малышей до тиар на голове — мы сами выбрали себе такую семью.

Спасибо моей удивительной и очень дружной настоящей семье. Эдвард, Карен, Марк, Донна и Ариэль Цукерберги, Присцилла Чан, Гарри и Джо-

---

[1] Седер — ритуальный иудейский ужин, устраиваемый на Пасху.

на Шмидт, Марла и Эрон Творецки, бабушка Герт, Бестия и Луна, а также все мои родственники во Флориде, Калифорнии, Пенсильвании и так далее — я счастлива чувствовать вашу любовь и поддержку. Вы готовили для меня, устраивали меня на работу, вкладывали силы и средства (и в буквальном, и в фигуральном смысле), одевали нас в костюмы из «Звездных войн», поддерживали в мечтах и радовались моим победам, а еще годами выслушивали поток моих сумасшедших идей и планов. Мне действительно хотелось бы, чтобы бабушки и дедушки Мириам, Джек и Сидни могли быть сейчас с нами и увидеть, как воплотилась в жизнь моя мечта опубликовать книгу. Хотя я и так знаю, что душой они со мной.

Я сердечно благодарю своих необыкновенных родителей, Эдварда и Карен Цукербергов. Постоянные записки в ланчбоксах, бесконечное количество пьес и концертов, которым мы аплодировали из первого ряда, долгие часы в машине... Вы выдержали все это ради меня и дарили мне любовь и поддержку. Вы дали мне необычайно много, и я буду вечно вам благодарна. Видеть, как вы дарите такую же любовь моему сыну, — самый лучший подарок для меня на все времена.

Спасибо моему прекрасному сыночку Ашеру, который, будучи совсем еще маленьким, преподал мне множество серьезных и важных жизненных уроков. Надеюсь, ты никогда не утратишь своей силы духа, жажды жизни, страстного желания петь и любви к *«Байни»* (впрочем, ладно, эта потеря меня не слишком расстроит). И еще я надеюсь, что жить ты будешь в соответствии со значением своего имени — в радости и счастье.

Ну и, конечно же, сильнее всего я благодарю Брента Творецки. Любимого мужа, чудесного отца и моего самого лучшего друга. Как поется в песне «Тото», «я благословляю дожди, изливающиеся на Африку», так и я благодарю тебя каждый божий день.

#ау #вывсеещечитаете #спасибо #ясердечко-хештег #людипользуютсяхештегами #слишком-много #ктонибудьвообщечиталэто #зачемвывсе-ещеэточитаете #юхуууу #весенниеканикулы #приветмам #приветхарперколлинз #считаемсло-ва #йоуяповредиламойвордкаунт #хочупоблагода-ритьакадемию #пулитцеровскаяпремия

Литературно-художественное издание

16+

Для старшего школьного возраста

Рэнди Цукерберг

Точка сложности
Как я работала в Facebook

Заведующий редакцией *Сергей Тишков*
Ответственный за выпуск *Антон Смоленцев*
Технический редактор *Елена Кудиярова*
Корректор *Наталья Глушкова*
Верстка *Павел Рыдалин*

Общероссийский классификатор продукции
ОК-005-93, том 2; 953000 – книги, брошюры

Подписано в печать 17.11.2014. Формат 84x108 $^1/_{32}$
Печать офсетная. Усл. печ. л. 18.5
Тираж 2000 экз. Заказ № 2058

ООО «Издательство АСТ»
129085, Москва, Звездный бульвар, д. 21, стр. 3, ком. 5

Отпечатано с готового оригинал-макета
в ОАО «ИПП «Правда Севера».
163002, г. Архангельск, пр. Новгородский, 32.
Тел./факс (8182) 64-14-54, тел.: (8182) 65-37-65, 65-38-78
www.ippps.ru, e-mail: zakaz@ippps.ru